SÉRGIO RODRIGUES

A vida futura

4ª *reimpressão*

Copyright © 2022 by Sérgio Rodrigues

Grafia atualizada segundo o Acordo Ortográfico da Língua Portuguesa de 1990, que entrou em vigor no Brasil em 2009.

Capa
Elisa von Randow

Imagens de capa
Catarina Bessel (ilustração); SNEHIT PHOTO/ Shutterstock (foto)

Preparação
Ana Cecília Agua de Melo

Revisão
Huendel Viana
Valquíria Della Pozza

Embora se inspire em fatos e pessoas reais, esta é uma obra de ficção.

Dados Internacionais de Catalogação na Publicação (CIP)
(Câmara Brasileira do Livro, SP, Brasil)

Rodrigues, Sérgio
    A vida futura / Sérgio Rodrigues. — 1ª ed. — São Paulo : Companhia das Letras, 2022.

    ISBN 978-65-5921-199-9

    1. Ficção brasileira I. Título.

22-104505   CDD-B869.3

Índice para catálogo sistemático:
1. Ficção : Literatura brasileira   B869.3

Maria Alice Ferreira – Bibliotecária – CRB-8/7964

Todos os direitos desta edição reservados à
EDITORA SCHWARCZ S.A.
Rua Bandeira Paulista, 702, cj. 32
04532-002 — São Paulo — SP
Telefone: (11) 3707-3500
www.companhiadasletras.com.br
www.blogdacompanhia.com.br
facebook.com/companhiadasletras
instagram.com/companhiadasletras
twitter.com/cialetras

Para Célia, minha mãe,
que me ensinou a ler

Assim passamos a suja mistura
das sombras e da chuva, a passos lentos,
falando um pouco da vida futura. *

Dante Alighieri, *Inferno*, canto VI

* Tradução de Emanuel França de Brito, Maurício Santana Dias e Pedro Fallei-ros Heise (Companhia das Letras, 2021).

1. No formigueiro das almas

A imortalidade das letras é para poucos, escrevi certa vez com a pena prematura dos vivos, mergulhada naquela tinta mista de arrogância e candura a que chamamos sangue. Corrijo-me, leitor, leitora ou que outro gênero inventem de inventar. As nuvens que nos servem de leito lembram alojamentos militares, o pé do insigne poeta pernambucano no nariz do dramaturgo francês, o ironista irlandês a roncar junto da orelha peluda do romancista russo. É natural que tanto aperto desande por vezes em altercações ríspidas e babélicas, afugentando o sono. Paciência, há que cultivá-la; e paciência eterna, se ocorre de estarmos na eternidade. As condições insatisfatórias de nossa instalação no Olimpo não devem preocupar os vivos: já constituímos uma comissão para redigir em três mil vias, todas adornadas com excelentes carimbos, um requerimento aos andares superiores da administração celeste. A menção ao relativo desconforto em que padecemos a desmesura universal não pretende mais do que ilustrar a cena da chegada do boato.

Boatos, ninguém ignora, são leves, rápidos, pouco menos que invisíveis, e guardam o condão de medrar nos ambientes atarefados. Em nosso formigueiro de almas, contribuíam para seu vigor a hipertrofia profissional da imaginação e uma natural curiosidade pelo mundo dos vivos. Esta era um tanto atiçada pela escassez de informações vindas da terra — quase sempre filtradas por livros, mais raramente por algum folhetim de imagens em movimento, dito televisivo, que conseguíssemos captar via satélite. Àquela altura me faltava uma noção perfeita do quanto havia de abençoado na distância entre vivos e mortos. Estar fora do tempo, livre de seu campo gravitacional, me dava a sensação de boiar no nada quando antes me devia mergulhar de cabeça para baixo, qual um Aquiles bebê banhado por Tétis no Estige, no caudaloso contentamento com tudo. Contudo, mesmo o herói tinha aquele calcanhar.

De um modo ou de outro, meu amigo Jota era a antena mais sensível do zum-zum mundano. Estava sempre atento, um ponto de exclamação a lhe vincar a bela testa, ao que entre os mortais lhe pudesse dizer respeito. Se acontecia de ter seu nome diretamente enganchado na intriga, o efeito sobre sua fantasmagoria chegava a ser devastador.

Dou um exemplo. Quando, no exercício pleno de sua liberdade de expressão, certo crítico afirmou que dediquei minha obra a desdizer a dele, a negar ponto por ponto os livros de Jota, meu amigo mergulhou num purgatório dantesco pelo equivalente a vinte e um anos terrenos. Só sossegou, e mesmo assim em parte, quando lhe assegurei que aquilo não passava de pilosa calúnia, uma indignidade, e que jamais em toda a existência me cruzaria sequer a mente... etc.

Convém lembrar que o etc. eterno não acaba nunca.

11. Interlúdio constrangido

É verdade que meu amigo e eu nunca falávamos do mais terrível dos boatos, e só o refiro aqui porque há intervenções médicas salutares, conquanto desagradáveis. Apliquemos logo essa injeção. Declaro solenemente que os rumores de um triângulo amoroso entre Jota, a mulher de Jota e aquele que um dia eu fui eram tão desprovidos de fundamento quanto o vácuo é desprovido de ar. Mesmo assim, foi uma plantinha que não apenas sobreviveu século xx adentro; nele deitou raízes grossas, fez-se árvore de grande porte. Quando se reflete sobre esse suculento mexerico, compreende-se logo que seu fôlego não seria o que veio a ser se um dos meus romances mais célebres não tivesse em seu miolo a hipótese de um adultério. Faça-se disso o que cada um julgar cabível; eu fico com a teoria das coincidências infelizes.

O tempo, porém, é um deus mais cruel que o de Abraão. As razões do que afirmo em seguida ninguém jamais soube explicar; imagino-as ligadas à conhecida dissolução que acomete os espíritos à medida que se vão apagando as marcas por eles deixadas na terra. Seja como for, a dias tantos o que era falso começa a se tornar de algum modo verdadeiro, e vice-versa; o que foi oculto se revela óbvio, e o óbvio se reveste de enigma.

Nesse sentido, como negar que a mulher de Jota o houvesse, sim, traído comigo? Como obliterar que um dia eu tivesse desmanchado os cabelos dela com dedos sôfregos, tentando afogar a dor de haver outro com direitos sobre seu corpo no ato bruto de fazê-la minha, só minha? Chega de parêntese. Se naquele caso o espinho moral cravado em meu amigo parecia ser do tipo que, de tão doloroso, impede o paciente de traduzir sofrimento em verbo, dessa vez não lhe faltariam palavras. Sigamos.

III. *L'apogée! L'apogée!*

Transtornado com o boato recém-chegado, Jota trovejou nuvem adentro levantando vapor e praguejando como um pirata de Stevenson.

— Um projeto criminoso, imagine o maior dos crimes! O mais hediondo, o mais intolerável, aquele perante o qual a vaga mais impetuosa... vira uma ondinha!

— O que houve, Jota?

— O que houve! — ele ecoou minha pergunta com entonação de papagaio. — O que houve, Jota, é que os lentes de nosso país cismaram de nos reescrever de cabo a rabo, eis o que houve!

Após me inteirar da história por alto e aos arrancos, ao sabor das eructações do homem, tentei meter o caso à bulha. Ponderei que há termos delicados num século e grosseiros no século seguinte. Não logrei sossegar seu espírito, que é tudo o que resta dele, e resignei-me a ouvir os pormenores de sua indignação: as verbas públicas de vulto a adubar a empreitada, a professora do Rio de Janeiro à testa do projeto, os quinhentos mil exemplares vertiginosos com que planejavam soterrar nosso minguante punhado de leitores...

Passei o resto do dia embatucado. O diabinho da vaidade enfiava-me rancor num ouvido, o anjo do desprendimento metia benevolência no outro, e nesse embate acabei com enxaqueca. Ventilei o tema em palestras vadias — nossa atividade principal no pós-vida — com amigos e conhecidos de chapéu. Aprendi que Defoe, Dumas, Stendhal e Twain são leitores felizes das versões ditas simplificadas de suas obras. Consideram-nas a maior homenagem a um escritor, por demonstrarem que as criações podem ser privadas das mesmas palavras que lhes dão corpo metafórico — como de um corpo literal nos privou a morte — e ainda pulsar. O grupo estava reunido no bar da praça, como toda tarde, à espera do pôr do sol.

— Que mais poderia um artista pedir? — perorou alguém, creio que Stendhal.

— Sim, de acordo — houve murmúrios de assentimento.

— É uma forma de existência superior da literatura — emendou Dumas, o mais loquaz defensor da cousa, bebendo um Napoleon.

Eu o chamo assim, pela alcunha de família, como de resto aos outros, porque não sou obrigado a reaprender todos os nomes da história da literatura só porque morri; ele se apresentava como Alex.

— Os mundos ficcionais — prosseguiu Dumas, um chumaço áspero de cabelos crespos vibrando com as palavras — já não dependem de nosso verbo. Vagam por aí incendiando a imaginação de toda a gente, nas palavras dessa mesma gente. Não é esplêndido? A história que esboçamos na imaginação antes de lançar na página se converte num espírito que sai voando em busca de novos corpos textuais, corpos mais jovens, cada vez mais jovens. Como pode um escritor ser contra uma coisa dessas, me diz? É o auge da criação, nada menos que o apogeu, o apogeu!

14

Ficou repetindo a última palavra com ar maníaco: *"L'apogée, l'apogée!"*. Fui correndo contar a Jota o que pensava o pai dos mosqueteiros, certo de que aquilo o tranquilizaria, mas era tarde. Meu amigo já estava trocando ideias com um pessoal que não compartilhava em absoluto do arejado ponto de vista dumasiano. Flaubert bufava prodigiosamente, com gálica perfeição, enquanto os famosos desafetos russos punham sua rixa de lado em nome de uma causa maior — Nabokov ria um cacarejo escarninho e Dostoiévski, aquele doudo, pregava o assassínio de todas as velhotas que se metessem com seu vocabulário e sintaxe. Caía a noite. Deixei Jota e os ilustres romancistas às voltas com seus demônios e me abanquei numa beira de cúmulo para meditar.

iv. Meditação numa beira de cúmulo

Para resumir um caso comprido, meditei que um dos defeitos mais gerais entre nós, brasileiros, é achar sério o que é ridículo, e ridículo o que é sério. Sabia-o antes de ser um autor defunto e mais o sei agora. A nata de nossa crítica literária levou sessenta anos para começar a quebrar o código de meu romance mais famoso, e hoje querem que ginasianos de joelhos ralados e álbum da Copa debaixo do braço decifrem tudo antes do bigode. Se conto isso a Molière, inspiro-lhe uma comédia em dois atos. Mesmo assim, nada me tinha preparado para certa adaptação televisiva da história que um dia, por azar, nos bateu nas antenas. Depois daquele espetáculo, o que restava defender? Como controlar nosso legado, ou antes, por quê? Teria cabimento responsabilizar o jovem Salinger pelas balas de seu futuro leitor assassino?

Eis a conclusão a que cheguei, gentis compatriotas: reescrevam-me à vontade! Cancelem palavras raras e chistes eruditos; amputem cisnes de Leda, hidras de Lerna e asas de Ícaro; aplainem sem piedade as ordens inversas, as ousadias sintáticas, as cousas grandes ou miúdas. Depois de tudo o que vi no mundo —

nos mundos —, creio poder afirmar que já nada me fará mossa. Se de resto me agastar algum aspecto dessa novela, pago-lhes com um peteleco e, como dizem hoje, tchau.

Mas será demasiado pedir que não sejam mais ingênuos que o habitual? Fazer uma versão simplificada dos meus livros ultrapassa o vocabulário; há que cortar fundo na carne, na proporção exata do analfabetismo funcional cultivado com tanto esmero no corpo do povo. Ocorre que o mesmo pensamento nu, límpido embora, é hermético para quem não aprendeu a pensar. Em caso extremo pode ser de bom alvitre suprimir a obra de todo, deixando o nome do autor na capa e um maço de folhas virgens de entremeio; teria sua graça.

Contudo, preciso informá-los de que Jota não se encontrava em disposição tão benigna. Deu para ficar até noite alta bebendo com Dostoiévski. A prudência é a primeira das virtudes em tempos convulsos, pensei, mas não segui meu próprio conselho. Não fui prudente, leitor ou leitora — ou leitore, cousa de doudo, como logo aprenderei. Se arrependimento matasse, nenhum mal me poderia causar, é certo; mas posso lhes garantir que os mortos se arrependem também.

As consequências de minha falta de senso são a própria história que passo a narrar — se não em busca de uma impossível redenção, ao menos para me ajudar a passar o tempo desmedido, o tempo inexistente, sem início ou fim —, mais de um século depois de acreditar que tinha me livrado para sempre desse bicho-carpinteiro.

v. O gavião e o pintinho

Um dia Jota apareceu com a informação de que a líder do projeto de nossa reescrita era uma professora chamada Stella Mc-Guffin Vieira, filha de pai brasileiro e mãe escocesa e moradora do bairro da Glória, na antiga capital do Império e da República. Com lógica pueril, acrescentou que pretendia puxar o pé da mulher na cama, de preferência em noite sem luar — ou talvez de lua cheia, ele não estava bem certo desse ponto. De uma forma ou de outra, garantia que todos os nossos problemas se dissolveriam por mágica naquela travessura de vaudeville, que faria a professora, tremendo de medo, desistir na mesma hora de seu plano criminoso.

— Percebo que andou levantando a ficha da boa alma — observei.

— Sim, mas perdão; da alma podre.

— Uma alma podre que mora na Glória, isso começa a ficar interessante.

— Não vejo interesse algum.

— Embora — ponderei — digam que o estado sanitário das águas daquela baía não inspire banhos de mar nos dias de hoje, a menos que a velha pulsão autodestrutiva do ser humano esteja no comando. Eis como a Glória e a podridão se encontram, caro Jota, num trecho tão gracioso do litoral carioca.

Não era incomum que minha disposição trocista aliviasse Jota de sua gravidade; naquele dia, o truque não surtiu efeito. Meu amigo tinha o cenho amarrado e feroz de um gavião à espreita do pintinho que comerá na ceia. O pintinho, claro, era a professora Stella, que decerto nem sonhava ter se indisposto de tal forma com o outro mundo.

Tive dó da mulher. Esperei que a brasa da indignação de Jota arrefecesse naturalmente, deixando em seu lugar as cinzas quentes — e logo frias — que são o destino de todas as paixões humanas. Não deu certo. No dia seguinte, enquanto jogávamos gamão, ele voltou ao assunto.

— Imagine a pobreza de espírito necessária para que uma pessoa dedique sua vida, sua vida!, a destruir a prosa alheia — ele resmungou sobre o tabuleiro, parecendo falar sozinho.

— Você está disposto a voltar mesmo ao mundo, Jota? — perguntei.

— Você me conhece, Jota. O que acha?

— Acredito que esteja.

— Pois acertou.

Aguardei cinco segundos, para melhor efeito, e disse:

— Quando partimos?

VI. Non sequitur

— Quando partimos?!

Vai agora com o acréscimo de um ponto de exclamação, que não sei se haveria em minha voz no momento, mas em retrospecto ajuda a compor o quadro.

Foi assim, como se não estivéssemos diante de um non sequitur de almanaque, que me ofereci para escoltar Jota em sua temerária incursão ao mundo dos vivos — pior, ao mundo brasileiro e carioca dos vivos; dos moribundos, dos mortos-vivos, dos vivíssimos. Fomos procurar o arcanjo Saraiva, que a princípio torceu seu abstrato nariz e fez menção de nos negar o imprescindível carimbo. Acabou cedendo, mas não sem antes nos alertar de perigos que me pareceram exagerados e que eu tinha dificuldade até de imaginar — quedas no abismo, descarrilamentos súbitos, derretimentos cabais, explosões, implosões, atolamentos, paralisias, enxaquecas, brotoejas...

— Vocês podem ficar presos lá por anos, décadas, enquanto durarem as vidas com as quais se enroscarem — disse o anjo burocrata.

E se pôs, com número excessivo de gestos e sinais de pontuação, a discorrer sobre cousas que me pareceram aborrecidas. Era uma Cassandra e, como a infeliz princesa troiana, logo caiu em descrédito. Não recordo com nitidez uma só das palavras que ele disse na ocasião.

A certa altura, farto daquilo e abrindo um sorriso, Jota esbofeteou o ar como se afugentasse um inseto, o próprio moscardo roxo da preocupação:

— É ir num pé e voltar no outro. Assustamos a mulher e pronto, amanhã mesmo estamos em casa.

VII. É isso o inferno?

Que Jota tivesse enlouquecido com aquela história de nos reescreverem, vá lá; os homens enlouquecem, às vezes. Fica faltando abordar com franqueza diante de você, criatura leitoral, um aspecto singelo que talvez já tenha chamado sua atenção: por que, se eu enxergava com clareza as dimensões frondosas do desatino de meu amigo, ainda assim lhe dei corda? Eis uma daquelas charadas que só pode desvendar quem sonda a alma abaixo da superfície das cristalinas intenções, na obscuridade onde nadam peixes esquisitos. Recuemos duas casas. A princípio eu não tinha explicações, mas tinha curiosidade, e naquele caso tinha principalmente palpites.

Comecei por julgar de difícil compreensão a revolta de Jota. Seus motivos pareciam se ligar a uma veneração religiosa do texto ou cousa parecida, como se a carnadura dos livros fosse uma vaca hindu; era isso ou o sinal de uma mente acossada por um narcisismo mais poderoso que a morte.

Entre outros sentimentos menos lisonjeiros, eu não conseguia refrear certa admiração pela patética resistência do orgulho do amigo. Seria o orgulho uma espécie de cabelo, eu pensava, de unha, parte mineral e imperecível da carcaça humana? Certamente parecia capaz de manter perfeita integridade, inútil embora, pelo infinito dos tempos — primeiro dentro do caixão e logo fora dele, disperso por passado e futuro, de cambulhada com o pó e os detritos a que chamamos universo.

O pensamento, visto de frente, era cômico, e me arrancou um sorriso; mas seu rabo era melancólico, e acabei triste. O problema da vaidade estava longe de ser insignificante em nossa nuvem. É provável que o drástico decreto cósmico de todos trocarmos de nome ao morrer fosse uma tentativa de manter tantos pavões sob controle, impedindo que suas caudas iridescentes furassem os olhos dos vizinhos — o que resultaria na mais perfeita cegueira universal. Medida arbitrária à primeira vista, até mesmo de comicidade duvidosa, quem sabe fizesse sentido? Ainda que eu mesmo preferisse tantas vezes desobedecê-la, como ao recusar a Dumas o codinome de Alex e a Flaubert o de Normando, a recomendação superior era que os nomes consagrados ficassem na terra, presos aos livros. Desse modo, sujeitos ao desgaste do tempo como espelhos inamovíveis diante de uma paisagem que muda sem cessar, Dumas e Flaubert se iriam tornando, mais e mais, de pedra, feito monumentos, enquanto nós e nossos novos apelidos... Aqui eu me detinha. O que éramos nós, afinal? O que significava estar morto e ainda viver?

Fosse como fosse, a organização das esferas celestes segundo critérios corporativos tinha virtudes e defeitos, dos quais ainda não chegou o momento de tratar. Por ora adianto que, no caso de nossa comunidade de escritores, a lucidez da autocrítica induzida pela contemplação obrigatória de uma floresta de egos altaneiros era virtude e defeito ao mesmo tempo.

Alguns autores defuntos se dedicam a mirar pela eternidade seu reflexo na própria obra; fazem-no com paixão tão embevecida

— e tão parva — quanto a do formoso filho de Liríope com nome de flor. Outros fogem desse reflexo como o pecador contumaz do confessionário. Por fim, há os que adotam as duas atitudes alternadamente, simultaneamente — eis a enroscadura do mistério.

Esse pensamento me lembrou a frase célebre de um circunspecto autor americano mais jovem do que eu, com quem tive a oportunidade de travar relações cordiais no pós-vida. Afirmou ele certa vez — bem antes de morrer, o que só veio a fazer em 1970 — que um inferno sob medida para escritores seria a contemplação forçada e eterna da própria obra, com suas imperfeições agora irremediáveis.

Uma boa frase, não se discute. Acredito, porém, conter mais graça que verdade. Não me parecia que seu autor estivesse no inferno, embora imperfeições não lhe faltassem.

Em relação a tais questões, como a tanto mais, sempre procurei cultivar alguma distância. A glória literária é uma górgona cruel — com três doses de benevolência, poderíamos chamá-la bufona —, e como tal deve ser tratada.

À custa de muito meditar, passei a desentender menos meu amigo, ou assim acreditei; o que Jota temia era a segunda morte.

VIII. A segunda morte

Expliquemos logo o que vem a ser isso. Se os humanos com sangue nas veias temem a morte, a que chamam precipitadamente fim, os que já não temos corpo nos angustiamos com nossa própria finitude. Esta assume a forma de uma lenta dissolução no indiferenciado — dimensão em que ainda há eternidade, da qual não se escapa nunca, mas onde já não cabe nos chamarmos propriamente "nós".

Retornar à geleia espiritual cósmica, ver apagarem-se pouco a pouco as fronteiras do eu, eis o destino de todo espírito na amplidão celestial, à medida que se vão esmaecendo na terra as lembranças que lá deixou. Livre daquilo que num dia menos desinspirado chamei de alma exterior, eis que a alma interior se dispersa como o líquido até então contido numa garrafa quebrada. Física e metafísica são complementares.

O evento pode ser triste, se as memórias que assim se dissolvem forem alegres; ou alegre, se forem tristes. De todo modo, decorre de tal conjuntura de erosão progressiva das almas o já mencionado superpovoamento da nuvem dos escritores. Jornalistas e críticos atestam ao menos cinco vezes por semana a decadência irremediável das letras, como se disso dependessem seus salários. Mas a verdade é que a cada dia, a cada minuto, um novo leitor abre um velho livro e — mágica certeira, inextinguível — reacende seu autor no céu. Trata-se de um modelo energético sutil, fundado numa malha intrincada de fios iluministas espalhados pelo planeta; seu princípio, contudo, tem uma singeleza medieval, quase camponesa. Cada palavra compreendida, cada frase abrigada no coração, cada página absorvida entre sorrisos dão ao espírito sofrido — e qual não o é? — a sensação de não estar sozinho no universo, renovando no além a vida dos mortos que as rabiscaram. Eis por que aquele espanhol falante, o Mig, com exceção de ser maneta, goza da saúde sólida e sem pejo de um mocetão de vinte, o dia inteiro brincando de guerra no parque com o caolho Lulão. Era evidente que, justa ou não, a fama de inventores de línguas lhes fazia bem.

Como se sabe, não é possível dizer o mesmo sobre tantos famosos de outrora, de generais forrados de glória em batalhas caídas no olvido a arcebispos de nomeada, de juristas de ordenações legais caducas a magnatas da Revolução Industrial. Nunca as vi — nem poderia —, mas é sabido que há legiões dessas criaturas espalhadas pelas nuvens temáticas em que se organiza o mundo. Mal se sustentam na existência, as coitadas; às vezes dependem da âncora de um busto de bronze alvejado por pombos, quando não de uma placa modesta, nome de rua que meia dúzia de vereadores venais podem revogar ao sabor do capricho político da estação.

Sobre essas personalidades periclitantes e seus formidáveis poderes de antanho obtemos assim, os homens de letras, uma vingança tardia. É cousa que a alguns dá gosto, ainda que a outros sirva apenas de lembrete da efemeridade do legado humano. Só os tolos ignoram que obras feitas de palavras também ruirão um dia, desfazendo-se em pó, como tudo. *Sic transit gloria mundi*; em tradução caseira, a festa só dura enquanto durar o arroz-doce. Pois bem; nessa equação, o que será o estilo? Pode mesmo resultar que seja tudo, o que bastava para deixar em pânico o pobre Jota. Em tal aspecto é mais fácil rir dele do que, sem medo de errar, declará-lo tolo. O mistério das cousas do universo guarda tanta obscuridade aos vivos quanto a nós, não fazendo a morte senão trocar nossa posição no tabuleiro: se antes jogávamos com as brancas, agora nos cabem as pretas. As regras, como a angústia, são as mesmas.

Entre elas, a primeira é que nada sabemos dos desígnios desse baile de máscaras — ou sequer que haja tais desígnios e tudo não passe, bem apurado o saldo, de acaso e caos. Shelley imaginou a morte como um portal para a verdade, mas era mentira. Se o Zeus de Homero é pastor de nuvens, sobre nossos cirros e nimbos não se via sombra de cajado.

IX. O Dramaturgo

Posso conceber diversas razões para me ter oferecido como acompanhante de Jota em sua aventura. A eternidade me enchia de um tédio infinito? A organização corporativa do cosmo me insultava a alma? Talvez julgasse nada ter a perder, com base no cálculo de que, se o pior que pode ocorrer a um homem é a morte e eu, bem, já estava morto... Todas as razões parecem boas, mas o fato é que não ponderei nada disso. Quando me dei conta, já tinha pronunciado a frase irrecorrível: "Quando partimos?". Acho que foi sem exclamação.

Sabe-se que para tudo no universo há razões profundas, o que é diferente de dizer que tenhamos a mais pálida ideia delas. Sobre isso, vale registrar o esclarecedor diálogo que tive com o Dramaturgo na véspera de nossa partida.

A notícia da viagem tinha feito correr pelo céu dos escritores uma corrente elétrica sutil, porém inegável. A frequência com que fantasmas nos aparecem nas páginas de contos e romances pode dar a impressão de que é corriqueiro o trânsito de almas entre o plano celestial e o terreno, como entre o Rio e Niterói.

A verdade não poderia estar mais distante disso. O rei Cláudio não provinha do além, mas da imaginação de Will; aquela assembleia de insepultos de Antares tinha saído do cérebro do Gaúcho para o coreto da praça.

Bem diferente, porque realista, era a empreitada que Jota e eu estávamos prestes a encetar. Sempre havia um ou outro a abraçá-la de vez em quando, mas a cousa mantinha-se suficientemente rara para deixar em discreta polvorosa os mais ilustres espíritos do Olimpo. Sem termos em absoluto tal intenção, Jota e eu renovávamos um desafio às leis divinas e supradivinas que expunha as relações tensas entre tempo histórico e imortalidade. Sermos brasileiros, portanto periféricos, observados pelos outros com uma condescendência mal equilibrada entre a curiosidade e a desatenção, atenuava o fenômeno sem, todavia, cancelá-lo.

O Dramaturgo me chamou para conversar, o que não era habitual. Gosto dele, embora sinta um desconforto difuso ao seu redor; talvez por nunca lhe ter perdoado a tenacidade com que apontava a ausência de escarradeiras em minha obra. Escarradeiras, francamente! Não obstante meu tédio à controvérsia, um dia a insistência do sujeito nos trambolhos ausentes chegou a um ponto em que me exasperei.

— Não lhe parece — ponderei na ocasião — que tal lacuna no mobiliário será antes um traço de época, de escola literária? Fora do naturalismo mais grosseiro, em que páginas você encontra as horrendas escarradeiras que me acusa de sonegar?

Ele se surpreendeu com meu tom, mas não levou mais que um instante para se aprumar.

— Não me ocorreria cobrar escarradeiras de quem é menos que genial — rebateu.

O elogio inesperado me deixou sem palavras, e o Dramaturgo emendou:

— Mas horrendas, não, querido Jota. Sublimes, isso sim. Escarradeiras magníficas, de louça branca, com flores pintadas!

A verdade é que, escarradeiras à parte, o Dramaturgo sempre me tratou como um príncipe; ou assim me pareceria se eu fosse capaz de ignorar a fagulha de zombaria que crepitava em seus olhos quando ele abria os braços e lançava ao vento aquelas frases de soberba humildade:

— Grande mestre dos mestres, fala que eu te escuto!

— Foi você que quis me ver, Dramaturgo.

— Isso, Jota, isso. Ouvi alguma coisa sobre você e o Jota estarem de viagem marcada?

— Ouviu certo.

Ele me encarou em silêncio por um longo tempo, aqueles olhos pendurados. Abanou a cabeça.

— Você deve saber o que está fazendo.

— Você se engana — retruquei. — Não tenho a menor ideia do que estou fazendo.

O Dramaturgo deu a risada seca que herdara de sua carcaça tuberculosa. Em seguida, ficou comicamente sério.

— Tome cuidado, meu velho — disse. — Lembra aqueles versos do Lulão?

— Que versos?

— Você sabe. "Mudam-se os tempos, mudam-se as vontades,/ Muda-se o ser, muda-se a confiança"…

Dei prosseguimento ao recital com gosto; apreciava aquele soneto.

— "Todo o mundo é composto de mudança,/ Tomando sempre novas qualidades."

— Exato — meu interlocutor pareceu satisfeito. — Sabe, Jota? Eu soube que a coisa lá embaixo não é nenhum chá na Colombo nos dias de hoje.

— Obrigado por se preocupar.

— Nenhuma sessão de gala da Academia.

— Vai ser uma visita rápida.

O homem abanou a cabeça de olhos baixos, voltou a rir seu riso aflitivo. Estaria com inveja de nosso desvario?

x. Na Noruega, entre bacalhaus

Depois disso ficamos um longo tempo em silêncio. Certa vez o Dramaturgo, amigo de epigramas e frases de efeito, disse que o pessoal se engana ao imaginar que o importante num diálogo é a palavra; na verdade, completou, é a pausa: "É na pausa que duas pessoas se entendem e entram em comunhão". Não discordo do juízo, mas acrescento que há pausas e pausas, fecundas umas, estéreis outras, e nem sempre é possível distingui-las sem a intervenção de umas quantas palavras.

— Jota, querido Jota — o Dramaturgo voltou a falar por fim, grave e lento. — Você e eu nunca fomos de viajar. Em Bangu, eu já me sentia num exílio de Gonçalves Dias, sabe por quê?

— Porque éramos homens do nosso lugar, da nossa aldeia — respondi de pronto.

— Exato. Como todo homem que vale a pena. Uma vez um amigo meu foi à Noruega, e olha... Foi uma experiência terrível. Andando na rua, meu amigo não foi reconhecido por um mísero bacalhau e teve uma certeza fulminante: a de não existir. Ele não existia, na Noruega ele não existia! Você entende?

35

— O lugar para onde voltarei é o de sempre, meu caro.

— Não, aí é que está. O tempo também é lugar, é mais lugar do que o lugar. E se você já não vai saber muito bem onde estará pisando, convenhamos que o Jota muito menos. Incomparavelmente menos, é um espeto. Boa alma, ninguém discute, mas bocó.

Embora não houvesse como discordar da substância daquele juízo, a ofensa ao amigo me irritou. Já me ia despedindo de modo abrupto quando o Dramaturgo me segurou o braço, procurou meu olhar e, baixando a voz a um sussurro, disse:

— Você tem esperança de encontrar a Carola?

E só nesse momento, levado por ele, toquei com um arrepio — e sem aviso prévio — o substrato mais profundo de minhas motivações.

O Dramaturgo estava certo, é claro. De temperamento ordeiro e calmo, até por necessidade neural herdada do tempo em que tinha nervos, dificilmente eu teria tomado atitude tão rebelde se estivesse bem acomodado no céu dos escritores. Ocorre que não estava.

Como poderia estar, se a pessoa que eu mais amara na vida me era inacessível? Não havia em nossa nuvem sinal de minha esposa, que não era literata; e, já que estamos falando nisso, tampouco de meu melhor amigo, que era literato mas não poeta, dramaturgo ou ficcionista. Dizia-se que os ensaístas, em cujo time teriam decerto escalado o autor de *Minha formação*, habitavam outra ilha do infinito arquipélago gasoso, a mesma dos tribunos e dos jornalistas. Haveria uma nuvem só para as esposas?

O fato é que nem por telefone, televisão ou telepatia eu conseguia saber notícia alguma de Carola e Joca — nada; tampouco lhes podia enviar qualquer mensagem. Restava-me encaminhar nuvem acima requerimentos solicitando a revisão do bloqueio arbitrário e insensível — ou ao menos uma boa explicação de por que, parecendo tão arbitrário e insensível, o bloqueio na verdade não o seria, segundo alguma lógica superior. Nunca obtive resposta. Arbitrariedade e insensibilidade pareciam mesmo as leis máximas do cosmo.

Eram? Foi o que perguntei um dia ao Saraiva, que não sei se seria um pouco sonso; ele se limitou a sorrir pálido.

Os outros habitantes de nossa nuvem viviam dramas semelhantes. Jota também não se comunicava com sua mulher, o que não sei se o fazia sofrer porque, como já disse, aquela senhora não era assunto entre nós. Ceci, a dos olhos de farol, não tirava do braço uma faixa de veludo preto em sinal de luto pelo marido, para quem estava sempre compondo versos de saudade.

A organização corporativa do universo podia ter prós e contras, mas aquele era um contra considerável, um contra capaz de transformar água em aguardente, levando um cidadão pacífico a namorar nada menos que a revolução. Foi após aquela conversa que comecei a pensar em Carola como minha Penélope, dando fumos de odisseia à jornada que estava prestes a empreender. Chegaria a Ítaca?

— Não sei, Dramaturgo — respondi. — A esperança é verde como a esmeralda, tão sedutora quanto ela, e acho que não me arrisco a apostar tão alto nesse jogo. Mas quando a ordem do mundo é cruel, quem sabe um reembaralhamento das cartas não abra fendas por onde a justiça...

Não cheguei a completar a frase. Notei, desconcertado, que o Dramaturgo tinha lágrimas nos olhos. Sem que ele precisasse explicar, entendi serem lágrimas de saudade por seu irmão Beto, que devia morar na nuvem dos desenhistas, quem sabe a mesma do Picasso. Com Filhote, seu outro irmão, o Dramaturgo falava todos os dias, porque aquele era jornalista mas também tinha inventado sua cota de histórias, personagens, metáforas. Beto, contudo, era-lhe tão inacessível quanto Carola a mim.

— Se não for pedir demais — disse o Dramaturgo, disfarçando a emoção —, me traz um Chicabon?

Prometi tentar, e no instante seguinte me lançava com empolgação juvenil à empreitada da qual, em meus cento e tantos anos de morte, vira espíritos mais robustos do que eu voltarem cheios de arranhões, estropiados, quando não aleijados para sempre; ou mesmo, em alguns casos menos felizes, não voltarem jamais.

xi. Não sou herói
(nota de esclarecimento)

Declaro aqui com a solenidade cabível que, ao mencionar os perigos que nos aguardavam e até aludir a Ulisses, não tenho a intenção de soar notas heroicas de clarim. Contudo, relendo agora o que escrevi, receio que assim possa ser lido. Não afirmei ali atrás que a vaidade sobrevive à morte como o cabelo e as unhas? Ou esse era o orgulho? Fique à vontade, pessoa que me lê, para voltar as páginas e esclarecer a dúvida, se assim o desejar. Eu sigo em frente com um pouco de pressa, pois a viagem vai finalmente começar.

XII. Pastiche ou pistache

Mas calma. Antes da intempestiva mudança de rumo que logo se abaterá sobre esta narrativa, e a fim de evitar o excesso de bagagem na travessia, registro algumas ideias sobre um tema adjacente — ou quiçá impertinente — que me ocorreram naqueles dias. Ideias de doudo? Julgue-as quem quiser, de posse das informações que seguem.

Em que pese o desarranjo que provocou na paz de espírito de Jota, a questão dos livros simplificados estava longe de ser a que mais emocionava os literatos de nossa nuvem. Em geral, nossa atenção se voltava para o problema mais obscuro dos *outros*. E quem seriam esses outros? Excelente pergunta. Refiro-me àqueles malucos que se passavam por nós, imitando-nos trejeitos, fôlego, voz, porte, tom, temas, visão de mundo — às vezes até as vírgulas e os vícios, quando não os solecismos e as frieiras.

Segundo certa corrente de opinião, aliás influente, os impostores eram habitantes de uma nuvem que replicava em detalhes a nossa, como que refletida num lago; para outros, contudo, o mito do duplo denunciava um ingênuo otimismo, pois o uni-

41

verso seria antes um coletivo de nuvens onde morava um número indefinido de *doppelgängers*, multiplicados como numa sala de espelhos.

Se tudo isso parece confuso, é que era confuso mesmo. Ninguém sabia ao certo o que era lenda e o que era verdade naquele tópico. Exasperante, o mistério provocava fascínio, mas também medo, despeito, rancor, até indignação. Tão perturbadora era a questão que evitávamos comentá-la abertamente. Só não havia como ignorar sua presença crônica, surda feito uma cefaleia, ponta de dor no subsolo de nossas conversas.

— Bom dia, Will — saudava-se, digamos, o bom Shakespeare ao cruzar com ele num passeio madrugador pelo parque, o dia mal começando a clarear.

— Bom dia! Ouve a cotovia anunciando a aurora! — respondia alegremente o homem.

Bastava. Ainda que naquele momento cantasse de fato a *Alauda arvensis*, era quase inevitável que, afastando-se do ilustre dramaturgo, seu interlocutor penetrasse um labirinto lógico destinado a lhe azedar o prazer da caminhada. Pois não seria a resposta do simpático, sorridente, avoado tiozinho inglês de trajes elisabetanos um sinal claro de que ali estava o Shakespeare falso — ou um dos muitos Shakespeares falsos que habitavam o universo? Como negar que aquela marca verbal óbvia, pinçada da cena em que Romeu e Julieta se despedem para sempre, fosse justamente uma das primeiras a que um imitador recorreria?

Ressalte-se que esse encontro com Shakespeare é hipotético. Não sou eu quem aqui aspergirá suspeitas infundadas sobre vizinhos, o que seria no mínimo deselegante, além de me expor a um processo por calúnia ou mesmo, hélas, a um duelo. Entretanto, posso afiançar que eu e outros passamos vezes sem conta por momentos em tudo semelhantes ao que acabo de descrever. E que as desconfianças assim deflagradas, como brasa de pito no matagal ressequido, podiam dar em incêndios terríveis se não fossem contidas a tempo.

Quem, afinal, garantia que nossa nuvem fosse a dos autênticos? Digamos que os imitadores abundassem de fato; até por uma questão de probabilidade, era mais fácil sermos nefelibatas numa ilha de névoa falsa — isso se houvesse coerência na composição desses pedaços de vapor, não se devendo descartar a possibilidade de consistirem antes de mesclas de autêntico com inautêntico. Nesses bricabraques de pesadelo, seríamos todos então disléxicos de letra e alma, incapazes de distinguir um pastiche de um pistache.

Naturalmente, uma vez iniciado tal curso de elucubrações, o caminho até a loucura era livre e desobstruído como um trecho de via férrea. O que me impedia de acreditar que faltava eu mesmo, e que essa lacuna era tudo? Talvez por isso Jota tenha preferido se aferrar à trivialidade das obras reescritas, dando-lhe ares de grave controvérsia. Não garanto que fosse o caso; especulo. Gosto mais de pistache que de pastiche, mas prefiro castanha-de-caju.

E que comece a viagem!

XIII. Vamos descer agora ao cego mundo

Digo a Jota que o tempo é o mais poderoso dos deuses, o mais misericordioso e o mais vingativo, e que talvez não fosse uma boa ideia estarmos ali, em flagrante infração às suas leis. Ele não me dá ouvidos. Está bestificado com as imagens que vemos passar no espaço diante de nós, em efeito semelhante ao daquela geringonça luminosa obsoleta que um dia chamaram cinerama. Lá de onde estamos vindo não há tempo nem espaço, só eternidade e infinito. No caminho em direção a eles, o tempo e o espaço, pegamos aqui de uma flor, ali de uma pedra, uma estrela, um raio, os cabelos de Medusa, as pontas do diabo. Vemos mandarins de todas as classes distribuindo moedas etruscas e chilenas, livros ingleses e rosas pálidas.

Algumas das cenas que descortinamos não são amenas para Jota. Seu semblante traduz, de um lado, a emoção de se ver ainda editado sem parar, um século e meio depois, feito que ele sabe estar ao alcance de poucos escritores no mundo. No outro hemisfério, como na face escura da lua, a expressão de meu amigo espelha o horror de uma visão tenebrosa: a de inúmeros rapazes imberbes e donzelas em botão rejeitando o dever escolar de ler seus livros.

Rejeitando? Repelindo — o termo é mais preciso em sua violência —, repudiando a tarefa com esgares de nojo ou tédio. Milhões deles, inclementes, escarninhos. Para qualquer observador não estúpido, é evidente que muitos daqueles jovens se tornam perdidos para a leitura literária no momento preciso em que se deparam precocemente com os livros de meu amigo, sabores de um outro tempo.

— O tempo — repeti — é o mais poderoso dos deuses, o mais misericordioso e também o mais vingativo.

Jota enfim me ouviu, e me encarou; estava chorando. Sugeri que andássemos mais depressa.

Atravessávamos as camadas profundas da teologia, da filosofia, da política, da geografia e da história — lições antigas, noções modernas, tudo à mistura, dogma e sintaxe. O caminho começava a ficar excessivamente tortuoso, além de cada vez mais íngreme. Em pouco tempo nos conduziu a um belvedere do qual se divisava a totalidade das cousas universais: do breu da pré-história ao negrume do futuro distante, vimos desfilar diante de nós em meia dúzia de minutos o espetáculo da humanidade com seus micróbios e beijos, suas guerras e esportes, suas artes e crimes; o enredo inteiro, longo, ainda que finito. Era tragicômico ver a história a se desenrolar, sístole e diástole, criação e destruição, nascimento e morte, tanta dor, tanta dor desmesurada e vã; e tanto amor também, em medida igual à primeira vista, dois polos em giro perpétuo, turbilhonadamente.

Meu sangue metafórico congelou em veias não menos simbólicas. A visão era tétrica e maravilhosa. Como o sol, não se podia encará-la sem filtro, pois nossos olhos cegariam; no entanto, sem sua luz, nada poderia ser visto.

Atravessando certo desfiladeiro estreito como um fio de navalha, vimos de um lado pilhas de cadáveres, do outro legiões de recém-nascidos; enquanto aqueles apodreciam, estes queriam mamar.

A certa altura fomos perseguidos por uma matilha de lobos negros de dentes longos e afiados como facas, que nos teriam alcançado e estraçalhado se uma lufada de ar gélido não nos colhesse no último instante para nos depositar no alto de um pico nevado onde achamos que morreríamos de frio. Levou algum tempo, dias ou talvez séculos, até compreendermos que dali só seria possível sair nos atirando encosta abaixo como Ícaros sem asas.

A queda, para nossa surpresa, foi suave. De novo na planície, sacudimos os fragmentos de gelo de nossos trajes escuros e seguimos viagem. Mais um pouco e passamos por uma mulher gigantesca e nua, adormecida. Fiz sinal a Jota para proceder em silêncio; só o que nos faltava era acordar Pandora.

Logo demos numa porta fechada. Abrimos a porta e nos vimos no centro de uma sala empoeirada e penumbrosa, cercados de vultos humanos numerosos, elegantes, impassíveis. Aterradores, achei, encolhendo-me por instinto e me preparando para o pior.

XIV. No Magazine Elegância

Depois que morri, gerações de passageiros de viagens aéreas se familiarizaram com a ideia de fuso horário; melhor dizendo, com os distúrbios que uma mudança brusca de coordenadas temporais provoca nos organismos. Creio que parte do nosso aturdimento, meu e de Jota, procedesse de um fenômeno semelhante, um fuso horário inscrito na geografia das esferas cósmicas. De todo modo, não havia organismos ali, ao menos não propriamente. Jota e eu éramos aquilo que o povo chama fantasmas; já as silhuetas ameaçadoras diante de nossos olhos eram... o quê?

— Não sejam ridículos. Somos manequins.

Riram da confusão que trazíamos estampada no rosto. Revelavam-se, de fato, cada vez mais claramente manequins, humanoides de plástico ou madeira de um tipo que era só tronco e cabeça, sem membros. Estavam vestidos com blazers e gravatas de diversas cores e padronagens. Moda nunca foi minha especialidade, mas era difícil imaginar um século em que aqueles modelos se sentissem em casa.

— Olá, amigos — Jota se adiantou, como se não estranhasse em absoluto a ideia de conversar com cousas. — Podem nos dizer onde estamos?

— No Magazine Elegância.

— Espere aí — atalhei. — Você não quer dizer o velho Magazine Elegância da rua do Ouvidor...

— Quero, sim.

— A loja fundada pelo alfaiate Raimundo Santa Cruz?

— Aí você está fazendo uma pergunta difícil — respondeu o manequim que falava. Se não fosse o líder do grupo, pensei, seria pelo menos seu porta-voz.

Bem nesse momento outra voz interveio, esganiçada:

— Sim, o fundador tinha esse nome aí, mas não é do nosso tempo. Hoje é um tataraneto dele que gerencia a loja.

— Você chama isso de gerenciar?

Seguiu-se um tumulto de vozes; todos os manequins eram dotados de palavra, afinal. Depreendi das opiniões desencontradas que o Magazine Elegância, onde um dia comprara gravatas, estava na fase terminal de uma longa e dolorosa decadência. Falido, já não abria as portas, e os manequins acumulavam poeira enquanto esperavam pelo oficial de Justiça que a qualquer momento viria penhorá-los, se tivessem sorte; ou enviá-los para a reciclagem, como temiam os mais pessimistas.

— E de que adiantaria abrir as portas? — perguntou um desses. — Há quanto tempo nenhum freguês pisava nesta loja quando as portas estavam abertas?

— Na rua do Ouvidor? — interpôs Jota com espanto. — Uma loja na rua do Ouvidor, multidões elegantes desfilando na calçada, e ninguém entrava?

Todos os manequins caíram na gargalhada. O porta-voz se dirigiu a meu amigo em tom rude:

— Há quanto tempo você não vem por essas bandas, maluco?

50

— Muito tempo — balbuciou Jota, claramente fora de fuso, como se fizesse contas de cabeça para saber se falava de dez anos ou vinte séculos.

— Você sabe que estamos em 2020? — perguntou o manequim.

Sabíamos, mas era sempre bom confirmar. Caminhei até a janela e espiei entre as lâminas metálicas de uma persiana semifechada. Lá fora não passava ninguém; era noite, e parecia ter havido algum problema com a iluminação, pois a outrora coruscante rua do Ouvidor se encontrava quase inteiramente às escuras naquele trecho, embora vagas sugestões de luz se insinuassem à esquerda e à direita, mais pressentidas que enxergadas, como os fantasmas que moram nas bordas trêmulas de nossa visão periférica.

Naquele breu, era impossível divisar direito as vitrines e letreiros do outro lado da rua, ainda que a distância permanecesse tão curta como quando eu frequentava o lugar, permitindo que da fachada de uma loja se apertasse a mão de quem se encontrava na calçada oposta. Mesmo enxergando pouco, decifrei os signos de um declínio inapelável, desolador, e estremeci.

XV. *"Lasciate ogne speranza, voi ch'intrate"*

Poucos minutos mais tarde, eu ia me lembrar com saudade daquele estremecimento sentido entre os manequins. O horror sonhado ou intuído, tenebroso embora, não se compara à experiência real da desgraça a nos entrar sentidos adentro como um trem descarrilado por um campo de papoulas. Vamos supor que Joana D'Arc tivesse quando criança uns pesadelos com fogo; creio que nos entendemos.

Tão logo deixamos o Magazine Elegância, o centro de minha cidade, onde um dia fui feliz, nos engoliu como a baleia a Jonas. O que se seguiu naquela madrugada foi uma experiência que, na moldura de minha existência relativamente protegida como vivo e como defunto, eu só poderia comparar aos arrepios de pavor vicário que senti ao adentrar o Inferno de Dante à luz de velas, dicionário de italiano ao lado, em noites da juventude. Ainda assim, o Rio do terceiro milênio era pior: em vez de anunciar de saída, já no canto III, *"Lasciate ogne speranza, voi ch'intrate"*, preferia nos pegar de surpresa.

Peripatéticos, vagamos em silêncio por ruas, becos e avenidas enegrecidos de sujeira, entre postes sem luz e montanhas de lixo, entre vitrines quebradas e bueiros sem tampa de onde brotavam ratazanas do tamanho de cães. Passamos por quadros de miséria humana capazes de transformar o adjetivo "indizível" em pálido eufemismo. A certa altura deixamos de nos entreolhar, tamanha era a vergonha que sentíamos de estar ali, ou de simplesmente habitar um mundo em que tal sordidez fosse possível; não sei se me explico.

À porta de onde houvera um dia uma confeitaria alegre, frequentada por donzelas elegantes e rapazes que as cortejavam, vimos um numeroso grupo de pessoas de todas as idades — dezenas delas, de velhos a crianças —, todas vestindo andrajos e dormindo amontoadas. Compreendemos que assim procediam para espantar o frio vindo da baía, que folhas de jornal amarelecidas e quebradiças não davam conta de mitigar. E nenhum deles se entretinha em diálogos filosóficos com as estrelas. Seguimos.

No fundo do beco ao lado do estabelecimento onde um dia me abasteci de charutos, na rua Primeiro de Março, vimos um policial fardado apontar uma grande arma negra e disparar três tiros na cara de uma mulher seminua. Ao chegar mais perto, notamos que ela era portadora de partes incongruentes — Vênus de Botticelli da cintura para cima, Davi de Michelangelo da cintura para baixo. O espírito dessa criatura notável foi expelido do corpo como um facho de luz turquesa cegante, reto em direção ao céu. Rindo baixinho, o assassino saiu rumo ao Palácio Tiradentes, que não existia em nosso tempo. Seguimos.

A bonita sede da Academia Brasileira de Letras, uma simples ideia sem teto em minha gestão, estava no mesmo caso. Ao nos aproximarmos dela, julgando que finalmente prenunciasse boas notícias, ouvimos um choro de criança vindo de trás de uma enorme caçamba de lixo. Era um uivo discreto, mas intolerável, e de imediato soubemos — sem nem saber como o sabíamos — que era o lamento de uma menina de sete anos chamada

Marisinha; que o homem mais velho a ela atracado vigorosamente por trás, deitados ambos, era seu pai, um certo Josias; e que Josias não agia assim para consolar Marisinha.

Peço perdão ao leitor pela crueza que meus vocábulos possam sugerir a tímpanos mortais; continuo a amar reticências, mas aprendi que muitas vezes a lucidez post mortem não se contenta com menos que... tudo. E houve mais, muito mais, que prefiro calar. Basta o que talvez devesse ter calado também, mas deixei aqui escrito. O senso de irrealidade que dava a nossos passos um peso incerto de algodão ou chumbo fazia com que nos sentíssemos alternadamente numa masmorra medieval, no porão de um navio negreiro, numa caverna pré-histórica, num campo de batalha napoleônica após tétrica carnificina, na própria caldeira fervente de Asmodeu.

Estaríamos viajando no tempo ainda? Teríamos perdido o rumo em alguma dobra do tecido espaço-temporal, indo parar numa versão imaginária e doentia do Rio de Janeiro, fermentada na alma de um louco? Como era admissível tamanho sofrimento?

Compreendi que a treva absoluta era aquilo: o lugar onde — assim como não se pode acender uma vela no vácuo — os seres humanos não conseguem conceber a ideia de Deus.

Ao longo de todo esse périplo pelo centro da cidade, Jota e eu nos mantivemos em silêncio. Coube a ele quebrá-lo. Na praça que a posteridade batizou de Cinelândia, paramos para contemplar a beleza do Theatro Municipal, que a Corte merecera sem jamais chegar a ver, boiando na paisagem como se fosse feito de sonho, matéria distinta da fealdade que o ilhava. Por uma dessas artimanhas do tempo, foi como se só naquele momento meu companheiro de viagem se desse conta de onde estávamos. Lágrimas lhe correram pelas faces imateriais, e não posso assegurar, mas é possível que espelhassem as minhas. Jota tinha um timbre esgarçado quando disse:

— Jota, é tanta sordidez. Nosso fracasso é retumbante. Império, República, tudo deu em nada!

— Vamos devagar. Admito que as notícias não são animadoras, mas...

— Não são animadoras?! De que planeta você veio? — meu amigo se esganiçou, assustando um pombo notívago que viera ciscar junto a seus pés. O bicho, que era preto, bateu asas e se fundiu com o céu.

— O que estou dizendo, Jota — argumentei —, é que temos uma visão parcial e mal informada deste lugar. Mal chegamos aqui. Imagine um viajante que desembarcasse, direto e sem escalas, do infinito das esferas cósmicas nas galerias subterrâneas infectas da Paris que triturou Jean Valjean. Como poderia esse recém-chegado imaginar que estava na própria Cidade Luz, a mesma onde pontificava o farol humanista de um Victor Hugo? Entende aonde quero chegar? "Paciência, meu coração", já dizia o mais astuto dos guerreiros.

Jota balançou a cabeça.

— Lá vem você com literatura.

— Bons entendedores — ponderei, olhando em volta com um estremecimento — talvez já soubessem que tudo estava contido no Morro do Castelo, como a fruta dentro da casca.

O fantasma do morro extinto nos observava do fundo da noite. Qual um membro amputado, latejava.

— Não, não — disse Jota. Tirou um grande lenço branco do bolso de trás da calça para assoar o narigão vermelho, que pingava como uma torneira defeituosa. — Não precisava ter sido assim, Jota. Tudo podia ser diferente.

XVI. Em que uma gaivota traz a manhã

Nesse momento uma brisa de maresia fez cócegas em minhas bochechas, e erguendo a vista vi o mar. Refletia o que por ora não passava de uma insinuação de sol nascente, quase uma ideia apenas. Ainda assim era a luz, a luz que eu havia temido nunca mais ver, e respirei com alívio.

À nossa frente descortinava-se uma versão estranhamente recuada, subtraída mas ainda reconhecível, da enseada da Glória. Uma gaivota branca saída de uma prístina manhã de 1877 — sim, eu a identifiquei — nos saudou com o arco elegante de seu voo.

— Verdes mares bravios... — balbuciou Jota, embora o lençol aquático diante de nós não fosse nem uma cousa nem outra.

Estive a ponto de sorrir. Mais um pouco e era dia claro. A cidade se espreguiçava, entre bocejos e piscadelas, como se acordasse de um pesadelo. Jota pulou sem aviso dentro de um veículo que passava, e o segui.

— Parece um bonde — ele disse, recomposto em parte —, mas é muito mais feio.

— Verdade — concordei.

— Jota, é tudo tão feio, tão feio!

De pé junto à roleta daquilo que chamavam ônibus, meu amigo contemplava desolado os passageiros sentados em fileiras, alguns se equilibrando em pé no corredor. Todos tinham um ar bovino, conformado, exausto, machucado, triste; usavam roupas baratas e levavam os olhos pregados em pequenos tabletes luminosos. Desviei o olhar para fora da carruagem sem cavalos, de motor quente e amortecedor macio. O ônibus corria mais do que parecia seguro e se inclinava nas longas curvas de piche traçadas no aterro onde um dia tinha sido o mar, com suas ressacas mortíferas. Reparei que os passageiros pareciam achar normal que o motorista lhes expusesse a vida a perigos tão palpáveis, como se fosse banal morrerem todos num acidente épico dali a um minuto. Contudo, astuta pessoa que decifra estes signos gráficos, não seria banal de fato? Banalidade das banalidades, cousa mesmo banalíssima, como diria um amante de superlativos que conheci. Quem sabe fosse até um desfecho desejável para a tragicomédia humana.

Ponderei um instante sobre tais matérias de vida e morte, especulando se aquela gente de aparência estúpida e grosseira não teria, no cômputo das eras, a sabedoria de um Aristóteles, de um Voltaire, dos maiores espíritos da história, enfim. Senti uma súbita náusea, que por ser desvinculada de toda ideia de corpo era ainda mais excruciante. Lembrei-me das convulsões que o estar vivo me cobrava, tão insuportáveis que o mesmo fantasma de sua memória bastava para forrar de desconforto a eternidade.

— Não devíamos ter vindo — murmurei.

— Sossegue, amigo — respondeu Jota. — Tudo terá valido a pena quando puxarmos o pé da professora.

Mas era evidente que ele já não tinha a mesma fé naquelas palavras.

XVII. ECO

Agora estávamos num dos pátios internos da grande edificação neoclássica que em meus tempos de vivo abrigava o Hospício de Pedro II, na Urca. Delimitavam o retângulo de ar livre corredores vazados por arcos, com piso de cerâmica xadrez e balaustrada de ferro carcomido. Dominando o jardim havia uma fonte seca no centro de um tanque octogonal azulejado à portuguesa, ali chamado de laguinho. Não se via na fonte ou no tanque, forrados de folhas secas, uma única gota d'água. Ao redor deles, caminhos de seixo entre canteiros malcuidados, trechos de grama queimada, árvores altas e melancólicas.

É possível que o parágrafo anterior seja o mais descritivo de toda a minha obra; a impressão que aquele jardim me provocou justifica a exceção. Era o tipo de lugar onde parecia reinar um silêncio ancestral, ainda que houvesse ruído. O conjunto exalava um efeito de beleza dilapidada, como se contemplássemos uma ruína de Santorini ou o rosto encarquilhado de uma diva do teatro oitocentista. Mesmo assim conseguia, de algum modo, inspirar acolhimento, propondo em sua linguagem de jardim a companhia de um bom tomo de poesia — talvez inglesa. Não estávamos ali para ler, porém. Jota me puxara para fora do ônibus quando passávamos diante do edifício porque tinha informações sobre o local de trabalho da professora Stella, cujo endereço residencial, contudo, ainda desconhecia; foi o que me contou enquanto penetrávamos no campus da Universidade Federal do Rio de Janeiro em direção à Escola de Comunicação. Explicou que o projeto de tornar nossos livros acessíveis às multidões seria desenvolvido naquele local, conhecido como ECO.

Depois de algumas voltas por lúgubres corredores de tábuas escuras, que certamente rangeriam sob nossos passos se tivéssemos peso, soubemos que Stella Vieira não aparecera para trabalhar aquela manhã. Jota começou a soltar um vaporzinho literal pelos ouvidos; temi que fosse repetir seu número impublicável de pirata de Stevenson, e para distraí-lo propus que descêssemos os oito degraus de pedra até o jardim.

Um grupo de pessoas se espalhava por ali ao sol quente da manhã de março, em torno da fonte. Eram todos jovens, com exceção de um homem magro e grisalho que parecia feito sobretudo de tendões e nervos e que, de pé, fumava com fúria um cigarro malcheiroso enquanto falava. Meia dúzia de seus ouvintes se acomodavam na mureta da fonte; outros tantos se esparramavam nas imediações, sentados em bancos de pedra, deitados na grama. Notei que muitos desses convivas tocavam-se uns aos outros com intimidade, cabeças abandonadas em colos ou aninhadas em peitos, mão na mão, dedos enrolando madeixas próprias ou alheias com distraído carinho.

Era uma assembleia que fico tentado a chamar de estranha, mas resisto à tentação, por receio de soar uma nota falsa; não por falta, mas por excesso de pertinência vocabular. Como Gulliver em Lilliput, se tudo naquele tempo e lugar me parecia estranho, é evidente que o estranho ali era eu.

— Sabe, Jota? — disse Jota. — É notável como a vida social, desde o tempo que nos coube viver, parece ter caminhado resolutamente no sentido do despudor. O que se fazia entre quatro paredes é hoje espetáculo público.

O raciocínio de meu amigo começava a fazer sentido, mas julguei que não chegasse a completar o gesto.

— Espetáculo, será? — retruquei. — Para que fosse um espetáculo, seria necessário haver uma plateia interessada nele, e ninguém parece dar a mínima.

Jota não conteve um gesto de impaciência.

— Espetacular mesmo seria você concordar comigo uma vez na vida, ainda que sobre uma constatação tão banal e evidente — resmungou.

Deixei passar a observação, que trazia mais camadas de ressentimento no subsolo do que seria sábio sondar. De todo modo, o homem de pé no jardim expelia com a fumaça frases que me interessavam, ainda que grande parte delas fosse de difícil compreensão.

Como amante de palavras, tentei anotar mentalmente todas as que não compreendia para posterior consulta a dicionários: *grupos interseccionais, lugar de fala, centralidade, não binário, cisgênero, epistemologia decolonial, todes... Todes?!* Seria um deus nórdico? Logo me perdi. Senti uma espécie de vertigem acompanhada da vontade estapafúrdia de degustar licor de jabuticaba; não me peçam que explique.

Jota e eu nos entreolhamos, cúmplices outra vez — não há nada como o inimigo comum para restaurar as boas relações de ex-aliados. O inimigo, no caso, não era o homem a pontificar no centro do jardim, mas a algaravia que escapava de sua boca com os rolos de fumo. Para gente como nós, homens de palavras, aquela zona de perfeita opacidade em nossa língua-mãe era um insulto. Notei que Jota exalava uma fumaça escura, mais densa que a do professor. O jardim nublou-se com a combinação de ambas, e minha mente aproveitou para divagar.

XVIII. Breves considerações sobre a eternidade

Veio-me à memória certa passagem de um de meus livros. Nela trato brevemente das relações abusivas de um senhorzinho de pouca idade e ainda menos caráter com seu escravo também jovem. Quando escrevi aquilo, não me passou pela cabeça detalhar os maus-tratos; em parte porque não teria cabimento penetrar assim nas cousas mínimas e ignóbeis, no inventário minucioso do escuso e do torpe, e também porque a sugestão engajava mais, supunha eu, as faculdades imaginativas da leitura. De uma forma ou de outra, palavras como *fellatio* e "sodomia" passaram longe de minha prosa.

Só de pouco em pouco eu aprenderia com meus desbocados colegas do futuro, à medida que nossa nuvem literária se fosse enchendo deles, que era possível auferir determinados lucros expressivos no escambo da polidez pela crueza. O senhorzinho, por sinal, era sempre o ativo.

Jota não estava de todo errado. A desinibição geral foi, como ninguém ignora, uma tendência marcante da humanidade no século que mal cheguei a ver. Só um ingênuo esperaria que, em nossa condição de defuntos, permanecêssemos alheios a tais mudanças. Nesse aspecto a organização das esferas celestes por critérios corporativos — problemática sob tantos outros — tinha vantagens. Tanto o poeta quanto o contador de histórias veem facilitada a tarefa de andarem em dia com as modas, as bossas — as de costumes como as de vocabulário, das quais é bom exemplo essa mesma "bossa".

Nada nos havia preparado para a linguagem do professor grisalho, é verdade. Mesmo assim, eu não ignorava que a máxima abertura de olhos e ouvidos era uma cláusula pétrea do contrato de viagem que assináramos. Cada tempo tem suas palavras, seus meios, seus modos, seus medos. Ao concordarmos em mergulhar naquele, sabendo disso ou não, dávamos autorização para que também a nós o tempo, escultor perpétuo, cinzelasse. Eu já mal reconhecia meu próprio nariz.

Se cada um vai sempre guardar de único e seu uma assinatura, um pacote de cacoetes e visões de mundo, está longe de ser possível — ainda que alguns o quisessem desejável — congelarmo-nos em versão definitiva, como livros encadernados em couro com letras douradas sulcando a lombada. Isso pelo fato óbvio e gritante de que, dia após dia, a mesma linguagem se renova e se reconfigura.

No jardim da ECO senti que, em poucas horas naquele lugar, já perdera um bom naco de mim. Dentro de mais alguns dias, o que havia de restar? Some-se a isso o fantasma dos Napoleões de hospício e temos uma charada das boas — a possibilidade perfeitamente lógica de que um imitador termine por ser mais autêntico que sua matriz.

A questão do tempo na eternidade comportaria comentário mais alentado, reconheço. Não o farei. O primeiro dever de quem escreve é não ser chato — palavrinha de maldizer amada por meus pósteros, cultores, pelo visto, de formas curvilíneas.

E, antes que eu me perca neste atalho temporal estouvado que tomei, vamos ao ponto em que meu amigo se equivocava: se espetacularização e exibicionismo um dia houvera naquele afrouxamento dos preceitos morais, a própria lassidão se havia convertido com o tempo em novo dogma, cousa rotineira, tediosa até.

A eternidade tem as suas pêndulas; nem por não acabar nunca deixa de querer saber a duração de tudo.

xix. Negro!

— Ridículo! — esbravejou Jota, arrancando-me de meus devaneios atemporais para me atirar de volta com certa violência no jardim dilapidado de uma universidade carioca do século xxi.

— O que é ridículo? — murmurei, aturdido.

— O que esse sujeito está dizendo.

— E você o compreende?

Meu amigo me lançou um olhar feroz.

— Compreendo o suficiente, meu caro, para saber que é um estulto, um pacóvio!

Preferi não contrariá-lo. Observei apenas intimamente, de mim para mim, que se o orador fosse de fato um pacóvio não faltariam naquele jardim pacóvios mais estultos do que ele para lhe beber as palavras como água fresca no deserto. O conúbio do idiota com os mais idiotas era decerto comum na história humana, mas isso não bastava para comprovar o veredito de Jota.

Adiei qualquer juízo peremptório para depois de entender ao menos meio palmo do que o homem dizia.

— Como esperar potência anti-lgbtqi-mais-fóbica de porcos escritores cis eurobrancos? — perguntou ele, lançando um olhar lento à sua volta. Atirou no chão o toco de cigarro e pisou nele com raiva, como se esmagasse o inimigo que acabava de cripticamente nomear. Nenhum dos jovens da plateia respondeu; três ou quatro balançaram a cabeça em sinal de aprovação. Brandindo com vigor um cigarro novinho e recém-aceso — artefato que parecia ter brotado por mágica entre seus dedos —, o homem pronunciou por fim uma frase com sentido. Antes não o tivesse feito; foi algo que transformou meu companheiro de fantasmagoria em pedra, nuvem de gelo antropomórfica com dois olhões arregalados.

O que o homem disse, com todas as letras e nomes, é que reescrever Jota era uma perda de tempo, pois nada poderia melhorá-lo; e também que lutaria com o máximo de suas forças acadêmicas para que o projeto da querida professora Stella concentrasse todas as fichas em mim, que era negro.

XX. Ou grego?

Meu amigo Joca, de quem amargo doída saudade, um dia chamou-me grego. Eu acabara de abotoar o derradeiro paletó, e ele não gostou de ver um dos necrológios, aliás escrito por outro amigo, me dizer mulato. Mulato, não, reagiu de pronto: "Grego!". Aquilo soou aos meus ouvidos recém-desencarnados um acorde cheio, mas agridoce e rascante. Sonhar com ser clássico, tendo nascido no Brasil, era cômico; alimentar tal sonho sendo filho da pobreza, e ainda por cima detentor de um bom quartilho de sangue negro numa sociedade escravagista — aí a cousa era ao mesmo tempo glória e escárnio.

Por outro lado, é fato notório que negro eu nunca quis ser, tendo dedicado cada minuto da vida, cada miligrama de massa cinzenta, cada cálculo e cada sapo deglutido cru a me afastar das agruras reservadas às classes serviçais das quais provinha; caso haja nisso crime, não poderei evitar a condenação.

Sim, era ridículo aquele grego pronunciado por Joca como elogio máximo, ainda que o amigo tivesse excelentes intenções. No entanto, não me soava menos postiço o negro que o homem acabara de apregoar resolutamente no jardim. Ambos, grego e negro, pareciam-se bidimensionais, figuras recortadas em papelão num teatro de sombras. Onde estava eu?

Senti-me mais uma vez, como em tantas ocasiões ao longo da existência, diante de um espelho enferrujado; sob a luz baixa, clarividente pessoa que lê, somos muitas vezes enganados pela penumbra bruxuleante, os olhos buscando se reconhecer nos olhos turvos que nos fitam de dentro do reflexo.

E de repente não há ninguém lá.

Mulato, então? A vulgaridade da palavra de origem muar talvez dispensasse o tom malévolo com que era frequentemente empregada, soando antipática em si. Ou assim eu pensei um dia; com o tempo vim a retocar esse juízo, entre tantos outros, pois também como defunto um homem passa por fases, do verde ao maduro e ao podre. Comecei até a criar alguma simpatia pela *pauvre mot*, mas agora, no jardim da ECO, descobria que isso já não convinha, era por demais feio — e me vi de repente sem opinião.

Não que minha opinião valesse muito. Como acredito já ter deixado claro, não posso sequer jurar que eu seja eu, que Jota seja Jota, que Shakespeare seja Shakespeare; desautorizar o homem fumegante que junto à fonte seca me declarava negro seria um despautério.

Quando pisei pela primeira vez no Magazine Elegância, na noite anterior, eu já tinha a noção intuitiva e surda de que desembarcava naquele lugar para ser aluno, não mestre. Não creio que houvesse humildade em tal postura, embora pudesse haver sensatez, e com certeza havia prudência. Creio já ter dito que o tempo é o mais poderoso dos deuses.

xxi. Mariana

As palavras vinham embaladas num suave timbre feminino, a primeira voz que se erguia no jardim após o discurso enfezado do fumante grisalho. Brotavam como música por entre os lábios carnudos de uma moça forte que se pusera de pé sobre o banco de pedra para falar:

— Eu amo esse homem, já amava antes de saber que ele era negro. Parecia recém-saída da criancice, sem que o pouco tempo transcorrido desde a inocência a tornasse menos mulher; antes o contrário. Achei-a bonita e gentilíssima. Para tal juízo não deixaria de contribuir a consciência vertiginosa, que me veio num susto, de que o homem que ela declarava amar era eu.

Difícil acreditar naquilo à primeira audição. Contudo, não havia dúvida: era eu mesmo o felizardo, se posso chamar de "eu" a criatura feita de palavras e imaginação que a jovem, musa às avessas, construíra em seu espírito de leitora.

— O que significa dizer que ele era negro? — prosseguiu ela. — Será que ele se via como negro? Ser negro é ter sangue negro? Quantos por cento de sangue negro fazem um negro?

71

Era evidente que pronunciar aquelas palavras exigia coragem moral da moça, e não pequena; bastava ver a careta do fumante e o ar entre confuso e aborrecido do restante do grupo diante dessas ponderações. O que ela dizia me soou como um bálsamo refrigerante num mundo que era uma bola ardente de nervos expostos. Para início de conversa, eu compreendia todos os vocábulos; sobre isso, que não seria pouco, havia a circunstância de expressarem eles as mesmas ideias — ou versões aproximadas delas — que eu teria defendido perante a assembleia da ECO, se tivesse direito a uma opinião.

A moça era, ela própria, negra. Compreendi que só por essa razão lhe permitiam dizer o que dizia. Sua moldura física era macia e fresca — sim, confesso com alguma vergonha que toquei de leve seus braços nus, e acho até que eles se arrepiaram um pouco. A pele tinha um tom entre o acobreado e o rubro, o magenta se acentuando junto aos lábios. Estes, acredito já tê-los qualificado como gordinhos, e agora acrescento serem talvez um tanto petulantes. Entreabriam-se sobre dentes graúdos e muito brancos. Os olhos rasgados eram grandes e negros como pérolas das *Mil e uma noites*, e o corpo parecia feito ao torno, sem que este vocábulo dê nenhuma ideia de rigidez; ao contrário, era flexível. Havia o que parecia ser um alfinete espetado em seu nariz, e um grande número de trancinhas de variadas cores, todas vivazes, caíam do alto de sua cabeça como folhas de samambaia ou serpentes de Medusa. O efeito daqueles atavios me pareceu adorável, ainda que espantoso: eu jamais vira nada remotamente parecido neste mundo ou em qualquer outro.

— Que mulher incrivelmente feia — disse Jota. — De que tribo terá vindo?

Não honrei com uma réplica a opinião grosseira e absurda. Como a moça continuasse a falar, continuei a ouvi-la.

— Pra mim — ela disse —, a importância de dizer pra todo mundo que ele era negro, como nunca me disseram na escola quando eu era pequena, é uma só. Sabem qual é? A importância de espalhar que esse homem tinha sangue negro, que seu pai era um mestiço forro, que seu cabelo era de negro, que seus pelos faciais eram de negro, que seu pau com certeza tinha um roxo profundo de pau negro, a importância disso tudo pra mim não tem nada a ver com uma essência preta que a gente pudesse encontrar no fundo do texto, mensagens revolucionárias, consciência racial cifrada, nada disso. Isso é conversa mole. O cara era totalmente assimilado, fez questão de passar por branco o quanto pôde. Fez uma pausa de três compassos, respirou fundo.

— É muito importante enfatizar neste momento que ele era negro, concordo. Uma coisa que sempre se escondeu, se abafou, se desconversou. Mas eu digo que a coisa só vai ser completa quando a gente puder acrescentar com ênfase também grande que ele não gostava nem um pouco de ser negro e fazia de tudo pra se passar por branco. Chato, né? Mas era justamente isso que fazia ele ser diferente, a única criatura bilíngue num mundo bipartido de monoglotas. Ele olhava aquela sacanagem toda de dentro e de fora ao mesmo tempo, e aí é que está. É nesse entrelugar, e só nele, que uma voz profunda se faz possível. Podem confessar: dá meio que vergonha alheia do gênio, não dá?

A plateia, ouvindo em silêncio, não esboçou reação alguma; nem piscou. Fluente como uma oradora do Senado romano, a moça de dezenove anos que parecia ter dois mil encaminhou o arremate de seu sermão:

— A consciência de classe que o nosso tempo valoriza, a militância do Luiz Gama, a revolta da Carolina, tudo isso é maravilhoso, mas abole justamente esse entrelugar, essa fresta. Não são cinquenta tons de cinza entre o preto e o branco: são cinquenta milhões. É ali que a genialidade dele, a improvável genialidade brasileira, se torna possível. Por isso aquele homem foi maior do que todos os outros, os de antes e os de depois, todos juntos e empilhados jamais poderiam nem poderão ser, ah, mas nem em sonho. E ao mesmo tempo, que frágil, que casquinha de ovo, que bolha de sabão, que vontade de pegar aquele homem no colo, puta que pariu!

O que eu pensei então não me veio em prosa, mas num verso de Shelley, tirado de uma das suas estâncias de 1821:

I can give not what men call love.

Devia ser um verso pesaroso; mal o enunciei, senti que marcava uma espécie de renascimento.

XXII. Prosaico outra vez

Como achei bonito encerrar poeticamente o capítulo anterior, faltou dizer com todas as letras o que fora antecipado em seu título; declaremos então agora que a moça das trancinhas coloridas se chamava Mariana. E neste momento chegamos ao meio preciso da história, ou pelo menos aquele que deveria ser o meio, se este fosse um livro bem equilibrado; não posso prometer nada nesse sentido, pelo contrário! De todo modo garanto que Mariana é, sim, o meio, o eixo, e a tudo estrutura. Era aluna naquela faculdade e atuava como monitora da mulher que procurávamos.

A certa altura o fumante — um professor bastante popular na escola, letrista de música com dois ou três parceiros semifamosos, que descobrimos chamar-se Viriato — lamentou rabugento que Stella não houvesse aparecido para trabalhar aquela manhã, pois tinha um documento importante que precisava fazer chegar às suas mãos. Mariana respondeu a isso com graça e generosidade, prontificando-se a levar a encomenda à casa da mestra. De todo modo, havia planejado uma visita a ela aquela tarde em busca de livros emprestados — de semiologia, acrescentou, com uma precisão que parecia supérflua.

Foi assim que Jota e eu seguimos Mariana em mais uma viagem de ônibus, refazendo nosso trajeto rumo à Glória. A jovem por quem palpitava meu coração de velho — ah, antes fosse isso... Corrijo-me, romântico ser que me lê: a jovem por quem voltara inesperadamente a palpitar meu coração de morto nos conduziu direitinho ao endereço que buscávamos, a residência da professora cujo pé tínhamos vindo do outro mundo para puxar numa noite qualquer, parecia já não importar sob qual lua.

— Ela pode ser feia — disse Jota —, mas é eficiente.

Descoberto o endereço de Stella, um apartamento de dois quartos no sexto andar de um prédio da rua Cândido Mendes, passamos o resto do dia descansando na praça Paris, ali perto, à espera da hora de cumprir nossa missão noturna e pegar o caminho de volta para casa.

Inquiri Jota sobre os pormenores de sua apuração prévia. Haveria com certeza algum ministério envolvido naquilo, um conselheiro com quem pudéssemos nos aconselhar, um protonotário que valesse a pena notar, além de decretos ou leis de números específicos que embasassem a concessão da verba. Haveria também — tinha de haver, tal era a natureza das cousas — formuladores de diretrizes educacionais e gestores de redes de bibliotecas escolares por onde nossos livros simplificados escoariam pelo país; isso para nem mencionar seus imprescindíveis padrinhos políticos. Enfim, Stella não estava só, era apenas a ponta de lança de um complexo cenário institucional, com seus prováveis gargalos de incompetência e corrupção, povoado por autoridades que talvez pudessem ser influenciadas de forma mais, digamos, racional... Mas poucos minutos de conversa bastaram para deixar claro que Jota não sabia de nada disso. Havia Stella e o projeto de puxar seu pé; era tudo.

Ocorreu-me que meu amigo não dera um pio sobre o animado debate daquela manhã acerca de minha cor. Certamente se ressentia do desprezo de Viriato à sua obra de escritor cis euro-branco, qualquer que fosse o sentido daquilo. Tendo sido, em vida, um ferrenho escravocrata, supus que havia de ter opiniões fortes sobre a questão, mas aguardei em vão que a abordasse. Por fim decidi trazer o assunto ao palco, mas iluminá-lo com um refletor cor-de-rosa.

— Se aquele Viriato — eu disse — conseguir convencer Stella a deixar você fora do projeto, acabaram-se todos os seus problemas, Jota. Isso não é ótimo?

Ele não respondeu logo. Olhar perdido num ponto vago acima das copas das árvores do Aterro, como se procurasse nossa nuvem mística no céu realista do Rio, permaneceu impassível por um tempo tão longo que supus não ter ouvido minha pergunta. Já era noite fechada quando finalmente falou.

— Eles acham que você é negro. Você é negro, Jota?

XXIII. Ilusão de fisicalidade

O que veio em seguida foi um atropelo. Algum autor latino já discorreu sobre a velocidade vertiginosa dos desastres; creio que foi Sêneca, mas não vou conferir a citação, pois tenho pressa. O que acho importante acrescentar é que a velocidade parecia mais veloz no terceiro milênio.

Num piscar de olhos, meu amigo e eu nos vimos num quarto pequeno em que mal cabiam a cama de casal e um armário embutido com espelho enferrujado na porta. Uma pessoa ressonava baixinho no centro da cama, sob o lençol. Ao nos aproximarmos, vimos uma máscara branca e dura, de queixo penso; o olho esquerdo tinha a pálpebra aberta a meio pau, aquele aflitivo globo cego de sono lá dentro, e uns chumaços de cabelo com tintura loura vencida se espraiavam sobre o travesseiro, que era de um branco encardido.

Na parede acima da cabeceira havia um grande calendário maia de madeira entalhada. Em frente à cama, duas prateleiras de livros. Procurei os nossos por reflexo e, sim, encontrei ambas as obras completas em papel-bíblia e capa dura; é isso que fica e consola etc.

Nesse momento ouvimos a descarga. Mal tivemos tempo de nos entreolhar, em busca de um espelho para a centelha de pânico que se acendeu nos olhos de cada um, e já uma das portas que julgáramos ser do armário embutido se abria, revelando-se a entrada de um banheiro. Pelo súbito alçapão saiu um homem peludo de meia-idade que me pareceu imenso. Fiquei surpreso de que conseguisse passar pela fenda, de onde se espalhava agora pelo quarto um cheiro ácido de fezes.

Na próxima vez que cruzar com o maluco do Joyce, pensei, não posso deixar de lhe agradecer por este ensinamento, o de escrever sem corar uma frase como a anterior, de resto inapelável. Não me desculparei, pessoas pudendas; depois que se apodrece do dedo mindinho ao último desvão das tripas, isso de fedor passa a ser bastante relativo.

Pior do que qualquer futum, vinha em nossa direção um ogro coberto de densa pelagem grisalha, dono de uma cabeça grande raspada à máquina e uma carantonha que não faria má figura como espanta-males na proa de embarcações. Tive de refrear o impulso inicial de sair correndo, antes de me dar conta de ser, claro, uma presença imponderável naquele quarto, naquele mundo. Eu era invisível aos olhinhos suínos do homem e não tinha cheiro algum que pudesse ser captado por seu narigão; estava perfeitamente protegido de todo perigo físico, ainda que o mesmo não se pudesse dizer do risco moral.

Meu amigo não foi tão rápido, porém. Ao ver o gigante vindo em nossa direção, perdeu o equilíbrio, rodopiou num dos calcanhares e caiu como uma jaca madura sobre a cama, em cima da professora ressonante. Isso provocou na mulher um arrepio forte seguido de repelões e grunhidos.

Jota ainda lutava para se desvencilhar da adormecida — que a essa altura o abraçava com uma firmeza menos sugestiva de um sonho terno do que de algum que envolvesse luta greco-romana

80

— quando, como uma falésia tombando no oceano, o ogro desabou na cama e o prendeu de vez naquele constrangedor emaranhado de corpos e espíritos.

Imóvel, Jota me lançou um olhar de súplica.

— Fique calmo — improvisei. — O que você está experimentando é um distúrbio comum nos espíritos que vagueiam pelo mundo dos vivos, chamado ilusão de fisicalidade.

— Como você sabe essas coisas? — ele choramingou na horizontal, o nariz enfiado numa das amplas narinas do homenzarrão.

— Meu caro, escute. Eu quero que você feche os olhos e tente sossegar, respirar com ritmo. Calma é o mais importante.

— Calma?! Nunca fui tão humilhado em toda a minha vida, Jota! Ou em toda a minha morte... Chafurdo numa cama sórdida, no antro de nossa inimiga. Calma, pois sim! Queria ver se fosse com você.

— Inimiga, Jota? Essa pobre coitada? Essa mulher não é minha inimiga, e acho que também não é sua. Você está levando essa brincadeira longe demais.

— Longe demais! — meu amigo guinchou, câmara de eco como de costume. Quanto mais apoplético, mais se afundava no colchão mole, soterrado pelos corpos do casal. Notei que ambos estavam adormecidos agora, e que ao ressonar da mulher o homem somava um ronco de sobressaltar defunto.

— Você parece se esquecer do que essa mulher está fazendo — Jota bufou. — O assassinato literário frio e premeditado que a virago comete contra a única vida que nos resta, as próprias palavras! Devo supor que, por você, isso não é problema? Não é fácil compreendê-lo às vezes, Jota.

Ah, a pureza do meu amigo. O homem que se compreende por inteiro é um tolo, pensei em lhe dizer, mas não disse. Percebi a tempo que a situação era demasiado aflitiva e urgente para a filosofia — ao menos para aquele sabor de filosofia, ainda que algum estoicismo parecesse recomendável.

— Você se sente preso — eu disse — porque acha que está submetido às mesmas leis da física que subjugam esses dois. A boa notícia que vou lhe dar, meu amigo, é que você não está. Basta que se convença disso para se levantar dessa cama com a graça e a leveza de uma Nadia Comăneci, em vez de ficar atolado aí como um tolo.

— Devagar com o andor, meu estimado: tolo não! — guinchou Jota. — Quem é Nadia Comăneci?

xxiv. Incidente noturno

Ocorreu-me nesse momento um pensamento prático, acoplado a um calafrio; pensamento e tremor se fundiram numa única sensação. Desde a aparição do ogro, eu havia presumido que ele fosse o marido da professora, embora nem Jota nem eu nada soubéssemos sobre a vida privada da mulher. O sujeito podia ser um amante, um namorado superficial, até mesmo companhia aleatória encontrada no bar aquela mesma noite. Como havia lido romances do século xx em bom número — inclusive os que eram proibidos no céu, por demoníacos, pois o Saraiva estava longe de ser um anjo burocrata do tipo diligente —, eu sabia que tal comportamento permissivo estaria longe de ser incomum da parte de uma mulher como Stella. Naturalmente, a identidade do sujeito fazia diferença agora que Jota se achava em contato tão íntimo com ele. Termos feito aquela viagem carentes de informações prévias revelava-se um erro grave.

— Você é um espírito — procurei encorajar Jota. — Um espírito, compreende? Espírito é menos que gás, é nada. Não tem peso, nem corpo, nem cheiro. Você é pura energia, meu velho. Nós atravessamos paredes, lembra? Podemos atalhar dimensões impensáveis de tempo e espaço num piscar de olhos, então deixe de ser bocó e levante já dessa cama. O discurso surtiu efeito, como eu sabia que surtiria. Aquela, "bocó", tinha sido a palavra insultuosa com que o crítico literário condenara meu amigo a duas décadas de dor moral. Acredito que Jota se julgasse, de alguma forma e no fundo da alma, merecedor do epíteto.

Em vez de retrucar alguma tolice, ele começou a se desentranhar com esforço da professora e do ogro. Após um lento progresso, conseguiu por fim se sentar na cama, fato auspicioso que nos fez trocar sorrisos de alívio. Foi um erro.

Comemorando antes da hora a vitória contra o mundo material, Jota armou o impulso de saltar para fora do colchão molengo e se atirou no espaço com mais bravura do que jeito, usando força muito acima da necessária. O resultado foi que perdeu o equilíbrio e se chocou contra a prateleira mais baixa da parede em frente, com suas duas dúzias de livros, ricocheteando então como bola de borracha de volta à cama, enquanto a prateleira despencava com estrondo. O homem e a mulher acordaram sobressaltados.

— Que foi isso?

— Ai, meu Jesus!

Acenderam a luz e eu pensei que agora seríamos desmascarados. Os livros se esparramavam no piso de tacos como as batatinhas da quadra infantil; alguns estavam arreganhados de forma aflitiva.

— AAAAAHHH!!! — a professora soltou um berro operístico de boca de cena do Theatro Lyrico. Deu um salto da cama e, pondo-se de joelhos, começou a recolher os exemplares despencados, alguns levemente feridos. Braços pálidos bem torneados, mãos finas, notei que ela acariciava capas e lombadas com pungente amor. O ogro se tranquilizou de que fosse apenas o desabamento de uma prateleira o fragoroso incidente noturno que lhe interrompera o sono, o qual tratou de retomar no mesmo minuto, agarrado a Jota com seus braços grossos como coxas.

Não pude deixar de reparar que a professora, camisola preta sobre a pele branca, cabelos em desalinho, conservava em versão madura uma série de encantos físicos que, em sua juventude, deviam lhe ter garantido considerável séquito de pretendentes. Aproximando-me da mulher por trás, vi que, com um livro nas mãos, ela estava absorta numa página que o desastre lhe abrira ao acaso. Era um dos meus. "Os mortos podem muito bem combater os vivos, sem os vencer inteiramente", li sobre seus ombros de marfim. Uma gata assomou sua cara preta e branca na porta do quarto para conferir o burburinho noturno; não pareceu considerá-lo digno de sua atenção, pois logo deu meia-volta e se perdeu na escuridão do corredor.

Jota chorava baixinho, cobrindo de lágrimas imateriais o peito do gigante.

xxv. Miseravelmente

O ogro que dormia na cama da professora vinha a ser seu amigo, namorado ou cousa parecida — "rolo eterno", na expressão que ela mesma favorecia. Chamava-se João Pinto e era o menos provável dos pares para Stella. A intelectual suburbana tão dedicada quanto sagaz, tão academicamente ambiciosa, havia desde a juventude entrelaçado sua vida com a de um vigarista, um virador, um parlapatão cheio de recursos picarescos. Se ambos eram dotados de inteligência acima da média, a de João Pinto se aplicava inteiramente a entabular com o mundo negociações que passavam ao largo dos livros.

Não se trata de julgar a professora por essa ou qualquer outra de suas escolhas amorosas. Cupido mantinha decerto no novo século o espírito travesso de sempre, e o coração continuava a falar uma língua só dele, frequentemente incompreensível ao cérebro; nada de surpreendente nisso. De todo modo, logo se me revelaria a história por trás do romance entre Stella e João Pinto, com todas as suas causas e consequências. Mas não ainda; por ora, aflito, eu só pensava em salvar Jota.

Naquele pulha de grande porte, homem de mais de cem quilos forrados de uma carapaça felpuda, tinha meu amigo dado um jeito de se enroscar miseravelmente. Caberá o advérbio? Sim, miseravelmente — não só cabe como não há outro. Quando o dia nasceu, Jota ainda era prisioneiro espiritual de João Pinto. Estava grudado nele como a mosca no papel pega-mosca; não se fica muito mais miserável do que isso.

— Mmgnf-mmm — dizia Jota, bestalhão, talvez já começando a se liquefazer da fagocitose espiritual.

Como se dava aquilo? Que forças do mundo físico ou metafísico entravam em ação? O que escravizava o escravagista Jota e o impedia de se levantar, separar seu ser do outro ser, desentranhar-se do cafajeste? Eu não tinha resposta para aquelas perguntas. Como narrador onisciente em terceira pessoa, sei que devia saber tudo, todos os fatos e motivações, e selecionar os mais sugestivos, além de ter sobre todos e seu preciso encadeamento um juízo, ainda que o guardasse na obscuridade dos subentendidos para maior prazer de quem lê. Eu devia, enfim, ser um escritor do meu tempo, o tempo que me foi dado viver. Mas a verdade é que eu sabia bem pouco, um pouco que virava quase nada perto do que não sabia. Meu velho poder era intermitente e fraco, o que me condenou a, pelos dias seguintes, trabalhar incansavelmente para mitigar minha ignorância como se disso dependesse a vida — mais que a vida, a vida eterna — de meu amigo. Se fôssemos pensar bem, dependia mesmo.

O famoso Jota, pedra fundamental do romance brasileiro, tinha-se reduzido a um adereço invisível que João Pinto arrastava para cima e para baixo em suas andanças pela cidade. Enroscado no pescoço do bruto como um trapo frio e viscoso, talvez meu amigo conservasse alguma consciência, mas parecia já não ter — ele que fora tão eloquente — nenhuma capacidade de expressão.

XXVI. A emenda e o soneto

Atrás de respostas, busquei sem êxito, desde o primeiro dia, contato telepático com o Saraiva. Lamentei ter sido tão desatento ao que o arcanjo nos aconselhara em seu discurso sobre os perigos que acossavam os mortos na terra. Diante do fracasso com Saraiva, tentei falar com qualquer pessoa de nossa nuvem. Procurei o Dramaturgo, o Alagoano, a Russa, a boa Ceci. Procurei o Carlinhos, que certa vez, gentil, escreveu que me podia ver andando pelas ruas do Rio, comentando fatos da atualidade. Eu já era defunto havia mais de cinquenta anos na ocasião, e naturalmente tomei por lisonjeira a tirada do poeta. Verdade que isso não me fez esquecer nem por um segundo que, com aquela louvação, ele tentava se redimir da rudeza com que me tratara na juventude. São assim os jovens, bem sei, e o elogio na idade madura era bom; de todo modo, não houve jeito de ficarmos amigos no céu.

Por alguma razão, Carlinhos e eu jamais passamos de uma civilidade formal, feita de acenos de longe e fórmulas de cortesia contrafeitas. Nunca tive a oportunidade ou sequer o desejo de de-

89

bater com ele os paralelos que vislumbrava entre um famoso delírio de minha autoria, o do rinoceronte, e aquele seu poema também célebre chamado "A máquina do mundo". Ainda assim, se Carlinhos atendesse, eu lhe falaria de como ele tinha sido profético ao me ver perambulando pela cidade no pós-morte, porque agora eu perambulava mesmo; teríamos um belo assunto, e talvez ele soubesse cousas que me pudesse ensinar sobre andarem os finados entre os vivos. Mais uma vez, porém, não consegui contato.

Eu estava incomunicável ali. Não só em relação a Carola e Joca, como sempre tinha sido no além, mas a todos — a emenda saíra mais torta que o soneto. A perda de Jota me condenava à mais completa solidão.

XXVII. O cachecol falante

A princípio eu tinha acesso apenas a informações simples, daquela simplicidade dos personagens caricaturais. Sabia que João Pinto havia sido — em ordem cronológica — corretor de imóveis, comerciante de carros usados, gerente de supermercado, pastor evangélico, dono de uma lojinha de xerox, representante comercial de uma marca de relógios paraguaios, treinador de futebol de praia, leão de chácara, traficante de drogas, gigolô. No momento, dedicava-se sobretudo ao lucrativo negócio de assessorar parlamentares milicianos, e me custou algum trabalho desfazer a confusão léxico-temporal que me tentou remeter à Guarda Nacional do Império. Acabei por compreender que a palavra "milícia", como tantas outras, tinha sentido inteiramente novo: João Pinto prestava serviços variados, quase sempre escusos, a políticos especializados em intermediar negócios entre o poder público e a máfia de ex-policiais que impunha violentamente suas próprias leis sobre nacos da cidade. Era um bandido, em suma.

No encalço do namorado de Stella, eu fazia diligências tensas, tentando sondar a alma de todos com quem ele cruzava em busca de pistas de… quê? Alguma cousa, sim, e importante; isso me parecia inegável. Mas é difícil procurar algo quando não se sabe o quê.

Houve um momento curioso: diante do espelhinho do banheiro infecto de um bar em Copacabana, vi João Pinto mirar seu reflexo com o que parecia um lampejo de interrogação nos olhos. A mais ligeira suspeita, será, de que algo podia estar diferente do habitual? O tipo de desconfiança que se faz acompanhar de um pensamento também vago como "faz tempo que não vou ao médico"? Fosse o que fosse, passou num relance. Outro homem entrou no banheiro, entregou um rolinho de notas a João Pinto e recebeu deste um pequeno envelope pardo, do tamanho de um cartão de visitas. Julguei ter ouvido um leve gemido de Jota — mas talvez fosse minha imaginação — quando o ogro deu as costas ao cliente, que depois de embolsar o envelope se preparava para mijar, e puxou a porta do banheiro para se atirar, como um bisão, ao restante do seu dia.

Do fogo-fátuo de suspeita que eu vislumbrara em seus olhos já não havia sinal. João Pinto seguia confiante, o corpanzil jogando como um navio em mar agitado entre os transeuntes do bairro que em meu tempo fora um bucólico areal, agora transformado num paliteiro de edifícios acavalados em que o sol só conseguia penetrar em ângulo reto, por poucos minutos no meio de cada dia.

Andei atarantado por um tempo. Cinco dias, dez? Isso de não ter corpo desregula a percepção do tempo porque, nos organismos, os ciclos fisiológicos fazem as vezes de ponteiros; digamos que tenha sido uma semana. Não foi um tempo de inação, mas de ação frenética, errática, provavelmente inútil. João Pinto carregava nas costas o grande escritor romântico, e em seu encalço visitei shoppings decadentes, banheiros públicos com cheiro de inferno, casas lotéricas que faziam câmbio clandestino e agiotagem, delegacias poeirentas, tavernas úmidas em subsolos improváveis, escritórios de rábulas sórdidos na Evaristo da Veiga, tascas portuguesas cheirando a alheira, prostíbulos pululantes de adolescentes seminuas — dezenas de lugares físicos, num caleidoscópio em que qualquer possível lugar lógico permanecia fugidio.

Um dia, no banco de trás de um táxi, vi com surpresa Jota se mexer sobre os ombros do gigante e, penosamente, soltar um gemido.

— Você está vivo! — gritei, eufórico. — Quero dizer... Você me ouve?

— Ouço tudo, o tempo todo.

A voz de meu amigo era pastosa, como se ele estivesse sob efeito de drogas, mas me encheu de um otimismo que eu julgava perdido para sempre. Precipitei-me:

— Então por que não se levanta daí, seu bocó? Está na hora de voltarmos para casa!

Após emitir um grunhido sinistro, semelhante ao canto da pomba-rola ou a uma nota grave de flauta doce, Jota engrolou:

— Pode ir. Me deixe aqui.

— Não vou abandonar você — protestei. — Desculpe se pareço afoito, meu caro, é que não entendo bem... Por que você não larga o pescoço desse troglodita?

Jota ficou em silêncio por alguns minutos, o que me impacientou. Tínhamos tempo. No meio da tarde de quarta-feira, o táxi em que viajávamos estava preso num engarrafamento a caminho da cidade, e João Pinto se entretinha com o que parecia um joguinho de garatujas animadas em seu tablete luminoso. Quando o ilustre romancista voltou a falar, com um esforço que era ao mesmo tempo comovente e exasperador, suas frases curtas saíram em comboio, entrecortadas:

— Esse é o sujeito que... O projeto da professora. Foi João Pinto... Homem de confiança de um ricaço. Tal de Beto, Beto Ferrão... O Rei das Vans. Serviços, ah, sujíssimos! Será que a professora sabe? Deve saber... Bruxa. Verba milionária. Beto Ferrão tem poder, Jota. Edital viciado... secretaria federal... muito dinheiro. Sujeira grossa. Náusea! Não aguento mais...

Nesse momento as palavras de Jota se afogaram num acesso de tosse — talvez de soluços, quem sabe de gemidos, difícil dizer ao certo. O trânsito começou a fluir. João Pinto desligou o tablete e girou a manivela para baixar o vidro da janela ao seu lado, deixando entrar no táxi um bafo quente e ardido de fumaça de ônibus. Jogado sobre os ombros do homem, Jota tinha voltado ao seu estado de cachecol.

Mas cumprira seu papel. Foi naquele momento que meus poderes de narrador onisciente, fugidios até então, começaram a fazer a viagem de volta.

XXVIII. Auerbach

Para essa virada contribuiu também uma decisão feliz. Julguei ter chegado a hora de deixar João Pinto entregue à sua azáfama de faz-tudo do crime, com Jota agarrado ao seu pescoço de ciclope, para me aproximar de Stella. Não era a professora, no fim das contas, a grande responsável por nossa aventura desventurada, aquele desvario que ameaçava condenar meu amigo à danação? Sim, eu andava cansado do submundo carioca também; mas creio ter sido positiva a principal razão daquela mudança de pauta, estratégia e endereço: eu me convencera de que, lendo a alma de Stella, ali encontraria o fio da trama.

Estávamos em seu apartamento da Glória, um dois-quartos de paredes salmão e decoração alheia à moda, ou antes fiel a modas passadas, com uma mistura de peças de artesanato popular e cartazes de filmes de Glauber Rocha e do neorrealismo italiano. Stella lia um livro no sofá da sala, ao lado de sua gata adormecida, um animal preto com manchas brancas chamado Luar. Sentado na poltrona de estampa floral à sua frente, eu observava sem pudor a mulher de cinquenta e dois anos, silhueta aparentando no máximo quarenta dentro da camisola negra curta. Não me julguem mal; meu interesse era clínico, e a causa, nobre. O livro que Stella lia era *Mimesis*, de Erich Auerbach. Li com ela:

> Nos relatos do Velho Testamento, o sossego da atividade quotidiana na casa, nos campos e junto aos rebanhos é constantemente socavado pelos ciúmes em torno à eleição e à promessa da bênção, e surgem complicações inconcebíveis para um herói homérico. Para estes, é necessário um motivo palpável, claramente exprimível, para que surjam conflito e inimizade, que resultam em luta aberta; enquanto que naqueles, o lento e constante fogo dos ciúmes e a ligação do doméstico com o espiritual, da bênção paterna com a bênção divina, conduzem a uma impregnação da vida quotidiana com substância conflitiva e, frequentemente, ao seu envenenamento.

Foi bem aí que meus dotes de narrador onisciente, plenamente restabelecidos, puseram-se a me soprar no ouvido isso, depois aquilo e aquilo outro, e quando me dei conta tinha diante de mim uma história mais ou menos completa protagonizada por Stella McGuffin Vieira, imperatriz da reescrita literária, e seu amigo João Pinto. É um conto um tanto amoral. Vamos a ele, aqui em modo mais organizado do que no tumulto em que se me revelou; para algo hão de servir os narradores.

xxix. Flavinho e Telita

Stella tinha menos de um ano de vida quando morreu sua mãe, Agnes, uma improvável professora de inglês nascida em Glasgow, e até seus dezoito, filha única, morou com o pai e a madrasta numa casa triste do subúrbio de Marechal Hermes. O Vieira, funcionário público de baixo escalão, sujeito sem virtude e cheio de defeitos banais, era tão inofensivo quanto aborrecido. O traço mais marcante de sua personalidade era o hábito de devorar livrinhos de faroeste de banca de jornal.

Moça de notáveis dotes intelectuais e físicos, Stella tinha desde a infância o plano de sair correndo de Marechal Hermes na primeira oportunidade. Esta surgiu quando, estudante de letras da Universidade Federal do Rio de Janeiro, se apaixonou no terceiro período por um professor mais velho — e ele, o que é mais importante, se apaixonou por ela. Flávio Couto da Gama, intelectual ultrapassado, viúvo jovial e aristocrata montado numa pilha de dinheiro vetusto, não demorou a virar Flavinho; ela, Telita. Couto da Gama era quase quarenta anos mais velho que sua aluna, mas isso, em fins dos anos 80 do século xx, não parecia ser um problema para ninguém. Mais alguns meses contados nos dedos e estavam morando juntos.

Catapultada de Marechal Hermes para o alto da Gávea, numa versão urbanística da ascensão do Hades ao Olimpo, de repente Stella se viu senhora de uma casa modernista de setecentos e cinquenta metros quadrados em forma de caixote, só concreto armado, vidro, carpete e ar-condicionado, fincada no centro de um jardim projetado por Burle Marx. Os ancestrais de Couto da Gama eram uma gente que tinha prestado serviços a d. Pedro II e multiplicado sua riqueza investindo em comércio exterior, sobretudo de negros. Constava haver entre esses antepassados um barão e um visconde, mas sobre isso Flavinho não gostava de falar. Telita ficou mais apaixonada ainda ao constatar que o namorado era um príncipe humilde, para quem não existia vulgaridade maior do que a ostentação de riqueza e poder; se estes ficavam patentes por si, paciência.

Os confortos advindos de sua condição social não eram classificados como ostentação por Couto da Gama. Daquelas delícias Stella usufruía com gosto, só a custo conseguindo — e às vezes nem isso — refrear o deslumbramento boquiaberto, a falta de traquejo dos malnascidos. Houve alguns vexames, poucos; mas Flavinho nunca deixou de ficar ao lado da namorada quando o esnobismo da sociedade carioca riu da jovem suburbana, tentando expeli-la de seu convívio. O recado chegou ao destino. Embora considerassem Stella nada além de uma arrivista, não passaria pela cabeça de ninguém negar que um Couto da Gama tinha direito às suas excentricidades, e todos foram obrigados a engoli-la.

Seria a moça de fato uma arrivista? Não a façamos mais virtuosa do que era, nem menos. Seu amor por Flavinho era tão real quanto qualquer outro, e se calhava de trazer consigo lençóis de seda, viagens à Europa e refeições preparadas com requintes de arte, como isso podia fazê-lo pior? Admita-se que em certos momentos cruzava o espírito de Stella uma dúvida em forma de borboleta; vinha, batia asas e logo fenecia, tão breve quanto o lepidóptero. Aparecendo outra vez, dias depois, havia de ser outro indivíduo da família das borboletas, ainda que do mesmo padrão que o anterior — e efêmero como ele. Nessas horas, sufocando borboletas com as mãos enquanto o namorado roncava ao seu lado, Stella se sentia culpada, baixa, e era obrigada a se beliscar para não perder de vista o tamanho imenso da sorte que dera na vida.

xxx. O ultraelitista

Flávio Couto da Gama, o príncipe humilde, era em termos estéticos um elitista de anedota. Seu sistema de valores podia ser resumido no simples e seguinte princípio, que ele gostava de expor com um sorriso beatífico, como se fosse uma verdade revelada no monte Sinai:

— Quanto menos gente tiver a capacidade de compreender uma obra, melhor ela será.

Stella estranhou a princípio a radicalidade do credo; logo o acatou. Sentir-se incluída pelo namorado no círculo rarefeito dos apreciadores de arte que valiam a pena dava-lhe uma sensação inebriante, enquanto a lembrança de seu pai lendo dia e noite aqueles faroestes de quinta categoria em que era viciado, lixo embalado em papel-jornal, parecia a comprovação definitiva do acerto do ultraelitismo de Flavinho.

Stella virou, mais que namorada ou concubina, a discípula número um e grande herdeira intelectual de Couto da Gama. Fazia três anos que moravam juntos quando ele projetou o futuro acadêmico da protegida, o mestrado seguido de doutorado, a aprovação no concurso de professor assistente — a vida inteira, em suma.

Um dia Stella percebeu que se sentia segura pela primeira vez na casa de vidro da Gávea; tinha demorado mas, finalmente, já não era uma penetra. Embora soubesse ser importante proceder com cautela, não fosse Flavinho considerá-la uma aventureira, começou a alimentar em segredo um sonho que lhe parecia augusto, transcendental.

Queria dar à luz um pequeno Couto da Gama.

XXXI. As três irmãs

Até então as três filhas de Flávio Couto da Gama tinham tolerado a intrusa como mais um capricho do velho. Narinha, Regina e Délia, àquela altura casadas e donas de seus próprios endereços, conviviam desde a infância com a inclinação do pai por se envolver com alunas, mas acharam que dessa vez a história estava indo longe demais. Foi Narinha quem formulou a hipótese do bebê, da herança dividida por quatro em vez de três. Ou mesmo por cinco ou — horror, horror! — seis, sete, a depender da fúria uterina da outra lá; Stella era jovem.

— Papai nunca faria uma coisa dessas! — Délia ensaiou se indignar.

— Ah, não? — devolveu Narinha, que além de primogênita era a líder do bando. — Então imagina que ela dá o golpe da barriga, chora, diz que quer muito o filho e tal. O que você acha que o pai faz? Obriga ela a abortar?

Regina e Délia se entreolharam. Compras feitas, as irmãs tomavam chá num fim de tarde de quarta-feira no Leblon.

— Colocando a coisa desse modo... — começou Regina.

Narinha, que como de hábito já estava lá na frente, decretou:

— A gente precisa se livrar dessa Stella, e depressa.

— O pai ama ela — arriscou Délia.

O contra-ataque da outra foi brutal:

— E daí, sua idiota?

Narinha esperou a caçula ir ao banheiro para compartilhar com Regina seu plano antiarrivista; bem nesse momento, porém, a gata de Stella pulou em meu colo e interrompeu a história, adiando a revelação da trama.

XXXII. Um sonho felino

Acredito que o bichano tenha agido assim pelo simples prazer caprichoso de prolongar o suspense, mas não tenho certeza. A professora continuava imersa em Auerbach no sofá. Na bergère de brechó em que eu me largava, agora com Luar enrodilhada no regaço, senti, soube, que o animal sabia, sentia que eu estava ali. Não sei se me via propriamente, translúcido contra o estofado de lírios em fundo verde. Ronronava.

Deixemos Luar pegar no sono misterioso dos felinos, no qual persegue ratos com sabor de atum em conserva por labirintos infinitos. Aqui estamos mais acordados do que nunca, porque este é o ponto da história em que João Pinto entra em cena com sua carranca, intempestivo e assustador como ao irromper no quarto de Stella vindo do banheiro, na noite funesta em que Jota sucumbiu.

xxxiii. O bastardo de Aparecida

Gigantes abrutalhados como João Pinto intimidam toda a gente quando aparecem de supetão. Se ocorre de crescerem aos poucos diante de nossos olhos, tendemos a ser mais complacentes com sua presença conspícua. Narinha, Regina e Délia tinham visto João Pinto se avolumar desde que ele era um Joãozinho Pintinho, um moleque hiperativo de fraldas sujas, alguns anos mais novo do que elas, com quem brincavam de pique e de boneca na mansão da Gávea onde moravam três gerações de Couto da Gama — da viúva d. Fernanda às três netinhas dela, passando pelo filho único, Flávio, também viúvo desde o parto de Délia.

As meninas adoravam o moleque, que tratavam com um misto de mandonismo infantil, condescendência de classe e carinho maternal precoce. João era filho de Aparecida, empregada que d. Fernanda tinha mandado buscar ainda adolescente em Barbacena para, como dizia, acabar de criar. Desde então e até morrer, aos cinquenta e cinco anos, Aparecida morou no galpão-quitinete que havia nos fundos do quintal da Gávea, entre bana-

107

neiras e um viveiro de periquitos desativado. Era obediente, trabalhadora, calada — uma escrava perfeita, como d. Fernanda gostava de brincar, arrancando risos gerais.

Um dia, já com trinta e sete anos e para surpresa de todos, Aparecida aparecera grávida. Se nunca disse quem era o pai, ninguém tampouco podia imaginar quem pudesse ser. Aquela mulher era estranha desde menina, tinha um medo doentio da cidade grande e só saía de casa para ir ao supermercado e à missa de domingo de manhã na capela da universidade de padres jesuítas que havia na vizinhança.

— A natureza é como água morro abaixo, encontra seus caminhos — filosofou d. Fernanda, compreensiva, quando decidiu atender às ponderações de Flávio e não despachar Aparecida em desonra de volta para Barbacena. Ao contrário, concordou em ajudar a criar seu bastardinho como agregado da casa.

João Pinto nasceu roxo e cabeludo, com quatro quilos e meio, e não parou mais de crescer. Acabou por se sair o negativo da mãe, aquela santa — um adolescente revoltado, desbocado, ladrãozinho de toca-fitas solto nas madrugadas do bairro e frequentador da Rocinha ali ao lado, onde trocava o produto de seus furtos por maconha e, mais tarde, cocaína. Pior do que tudo aquilo, só mesmo aquilo tudo num corpaço intimidador de peso--pesado — João Pinto era o pacote completo.

A situação podia parecer insustentável, mas não era; quase nunca é. O tempo, como ocorre com frequência, terminou por ajeitar as cousas. Primeiro morreu Aparecida, a "escrava perfeita", sem aviso no meio da noite, dormindo no galpão que dividia com o filho. Menos de um ano depois foi a vez de d. Fernanda dizer adeus, ceifada por um câncer fulminante no pâncreas. Passada a ebulição hormonal da adolescência, João Pinto amadureceu num jovem mais responsável e quase cordato — ainda que cheio de esquemas escusos.

Após uma conversa com as filhas, Flávio Couto da Gama recuou no último minuto do plano de botar o rapaz para fora de casa. É provável que houvesse nessa decisão uma dose de medo — conversando com o agregado, o patrão nunca perdia de vista que estava diante de um Polifemo, uma força adormecida capaz de, querendo, matá-lo com um piparote. Contudo, havia cálculo também. O gigante era útil à família; em meados dos anos 80, a criminalidade crescia no Rio, e João Pinto, com o respeito físico que impunha e a reputação de confiável e corajoso angariada no submundo, valia por toda uma equipe de seguranças.

Agora, meia dúzia de anos depois, Narinha tinha planos ainda mais importantes para o agregado. Perguntou a Regina:

— O que você acha? Fala rápido porque a Délia está voltando.

A outra sorriu, olhos perdidos no vazio, como se projetasse no ar a cena impagável que a irmã acabava de conjurar: a namorada do pai acordando confusa na cama de João Pinto no galpão dos fundos, enroscada no corpo peludo e pelado da cria da casa.

xxxiv. Boa noite, Stella

Marcada para uma ocasião, no mês seguinte, em que compromissos acadêmicos conflitantes impediriam a namorada de Flávio de acompanhá-lo numa viagem a São Paulo, a arapuca comportava uma bem calculada dose de risco. É claro que Stella não teria a menor noção do que fazia na cama de João Pinto, tendo sido carregada até lá na noite anterior, depois de narcotizada por Narinha e Regina. Após breve confusão, o entendimento de que caíra numa cilada seria rápido; no entanto, havendo posado inconsciente para fotografias num leito pecaminoso coreografado com arte, será que lhe adiantaria recuperar nacos da memória e desvendar a trama vil? Narinha sabia que teorias empalidecem diante de imagens concretas; se estas forem coloridas, temos um massacre. Contava também, como explicou a Regina, com uma severa lógica psicossocial a emprestar verossimilhança ao adultério fictício:

— Os filhos da sarjeta se atraem, se procuram, como um gambá procura o outro no meio da noite, para acasalar e gerar gambazinhos, quando ninguém está olhando.

Convencer João Pinto foi fácil. O filho de Aparecida gostava de Stella, que o tratava com gentileza, mas gostava mais de dinheiro. A soma que Narinha lhe agitou diante do nariz teve um número de zeros calculado para facilitar essa contabilidade a olho nu. No mais, as duas irmãs prometeram se empenhar para que o pai perdoasse João Pinto, usando de sua influência junto ao velho para argumentar que jovens são jovens e, afinal, o rapaz lhe teria prestado um belo serviço ao desmascarar a leviana.

Quando buscou reconstituir a noite estranha em que sua vida capotou, Stella conseguiu recordar algumas cenas, enquanto outras mal era capaz de imaginar, ainda que fossem de dedução inapelável.

Ao abrir os olhos numa cama desconhecida no lusco-fusco, ao lado de um homenzarrão adormecido e nu, reconheceu João Pinto de imediato. O corpo dele exalava um cheiro forte que ela já aprendera a identificar, meio defumado, meio acre. Por alguns instantes, considerou seriamente a possibilidade de se deixar ficar ali, ver onde aquele caminho iria dar — conferir quem era, afinal, aquela outra Stella que desejava sentir sobre si o peso do gigante. Foi um momento de confusão que passou logo, ofuscado pela lucidez lancinante da indignação e do ultraje com o golpe de que fora vítima.

Stella gritou, espumou, esmurrou o peito de João Pinto, pulou da cama e saiu enlouquecida pela casa atrás das filhas de Flávio, sem encontrá-las em parte alguma. Ao voltar ao galpão dos fundos para confrontar o homem, também já não havia ninguém lá. A dor de cabeça provocada pelo sonífero da véspera se instalou ao lado de um sentimento agudo de solidão e desamparo, vizinho da própria morte, que ela nunca experimentara em toda a vida. Aos soluços, ligou para o hotel de Flavinho em São Paulo. Conseguiu encontrá-lo no quarto e compreendeu tarde demais que aquele era um caso diabólico em que, quanto mais se defendesse, mais se incriminaria:

— É tudo mentira, meu amor! Eu nunca toquei um dedo nele!

O alarme na voz de Couto da Gama já era uma primeira distância.

— O que você está dizendo, Telita?

— Nunca imaginei que elas me odiassem tanto — murmurou Stella, como se falasse consigo mesma.

— Quem odeia você?

— Suas filhas, Flavinho! Aquelas vacas!

Couto da Gama embarcou na primeira ponte aérea para investigar de perto aquela história mal contada. Encontrou-se sozinho com as filhas, embora Stella insistisse numa acareação, e voltou dessa conversa com olhos duros e esquivos. Já não a chamava de Telita. Ficou claro que o ódio começara a brotar em seu coração; mais alguns instantes e era um sentimento maduro, como uma planta que crescesse em câmera acelerada num daqueles documentários da National Geographic captados pela parabólica do céu.

— João Pinto, não! — bradava o velho professor, a cabeça grisalha e a papada vibrando numa negativa elétrica, com uma dureza na voz que sua ex-amada ainda não conhecia. — João Pinto, francamente! Que falta de classe!

Stella foi embora da Gávea naquela mesma noite. Seu salário de professora assistente lhe permitiu alugar um bom quarto e sala em Laranjeiras. Dias depois, quando João Pinto a procurou dizendo que também tinha sido posto no olho da rua, ela o botou para dentro de casa e da vida sem pensar duas vezes:

— Não esperava outra coisa daquele velho broxa.

xxxv. Arrazoado com feijão

Neste ponto sou obrigado a intervir para corrigir um juízo que talvez pareça erroneamente encaminhado pelos fatos. Entende-se que Narinha, ao saber que João Pinto e Stella estavam morando juntos, se sentisse justificada em sua teoria classista dos gambás. Afirmo, porém, que tal teoria é desprezível — a menos que se esteja disposto a retocá-la para enfatizar a juventude dos bichinhos. De todo modo, em tal matéria não se recomenda pontificar. Quer dizer então que Stella desejou João Pinto fugazmente assim que abriu os olhos em sua cama, mesmo reconhecendo-se vítima de uma armadilha sórdida — e daí? Sabe-se que o maior encanto do adultério é apenas envolver outra pessoa. Pouco importa de ordinário quem seja ela, se melhor ou pior que a ocupante oficial do posto de amante, esposa, marido, noiva, noivo. A diversidade, ninguém ignora, é o tempero do diabo. Há mesmo casos comprovados de damas que trocaram cavalheiros brilhantes, distintos e probos, competentes e retos, além de bonitos, por uns Quasímodos perversos de higiene duvidosa, tão atraentes física e moralmente aos olhos do bom senso quanto camundongos adoentados. Não digo que fosse esse o caso de Stella e João Pinto. De todo modo, são ocorrências tão comuns quanto as de valetes que traíram suas Helenas de Troia, mulheres de rara formosura por fora e por dentro, com viragos morais de sedução vulgar.

Quem somos nós para desempatar tais matérias? As razões do coração são desrazões; assim deviam constar nos dicionários. Se ocorre de a região do Grande Coração incluir os países baixos, como parece justo que inclua, mais desrazões elas serão, e menos razão terá quem tentar fazer disso um arrazoado. Mais vale comer arroz com feijão, de preferência com um cálice de bom vinho do Porto para arrematar.

Se algo de previsível existe nessa história é apenas que Stella Vieira, ultraelitista militante sob a influência de Flávio Couto da Gama, metamorfoseou-se de modo brusco na maior inimiga intelectual do ex-namorado. Fez-se a principal ativista brasileira da compreensibilidade textual como ferramenta de inclusão social e plenitude cidadã num país de gente semialfabetizada — uma gente que ela defendia ter o direito inato de saber o que escreveram fundadores da nacionalidade como Jota e Jota. Um dia, no clímax de sua carreira, lançou o ambicioso projeto Luta de Clássicos, dedicado a reescrever linha por linha os principais livros daqueles autores, ou seja, nós — pondo assim em movimento, embora disso não pudesse saber, as engrenagens da história de assombração que aqui se narra.

Financiado por verbas públicas de vulto, o projeto Luta de Clássicos tinha como lema "Quanto mais gente entender, melhor" — fórmula que invertia com precisão o credo do velho professor. Embora Flávio Couto da Gama tivesse morrido sete anos antes, o que aguava um pouco o prazer de Stella, ainda assim a vingança lhe foi doce como a manga madura do quintal de sua infância em Marechal Hermes.

— Toma, velho broxa!

XXXVI. Uma espessa neblina

O interfone tocou. Stella se levantou para atender, depois foi até a porta da frente do apartamento e a abriu. A caminho do sofá, apanhou sobre a cômoda uma máscara de pano azul-turquesa com estampa de coelhos cor-de-rosa, que ajustou sobre o nariz e a boca, prendendo as alças de elástico atrás das orelhas. Trancinhas coloridas assomaram na porta.

Não tenho vergonha de admitir que, se eu tivesse um coração, ele teria disparado nesse momento; bem, talvez um pouco de vergonha.

— Entra, Mariana. Cadê a sua máscara?

Como a menina tivesse apenas, cobrindo seu corpo, uma calça jeans e uma camiseta branca, foi instruída pela dona da casa a se servir de um dos itens descartáveis verde-água que havia dentro de uma caixa de papelão sobre a mesinha de centro da sala, entre o sofá e a poltrona onde eu me sentava.

— Nossa, Stella, você não tá exagerando? — estranhou Mariana, mas obedeceu.

Devidamente protegida, a recém-chegada desabou em meu colo; aspirei o cheiro de sua nuca, suor com água-de-colônia.

Luar tinha pulado da bergère bem a tempo de não ser esmagada, embarafustando para o interior do apartamento.

— Agora vai ser assim, minha amiga — disse a professora.

— Você acha que...

— A peste vai pegar geral — Stella falou com segurança, como se tivesse lido o futuro nos búzios ou na borra do café. — Vão ser pelo menos dois meses de doideira.

Estávamos nos primeiros dias de abril de 2020; a universidade acabara de suspender as aulas.

— Não vou demorar, Stella — disse a moça. — É que... Tipo. Hã...

Enquanto Mariana hesitava, gaguejava, corava, compreendi com um choque que, para mim, seu mundo interior era uma densa neblina.

— Fala logo, mulher — insistiu a outra.

Talvez eu estivesse mal-acostumado. Passada certa dificuldade inicial, de resto compreensível após um século de inatividade, Stella e João Pinto se deixavam ler como livros bem-compostos, de letras grandes e contrastadas sobre o papel cremoso. Quanto à menina de alfinete no nariz, embora fôssemos de certa forma íntimos, ocupando o mesmo lugar na poltrona, tudo era interdição.

Mariana enfim pareceu se decidir. Fitando diretamente a professora, disse:

— É o João.

Os olhos de Stella se acenderam com uma fagulha de malícia.

— Hmm, deixa eu ver se adivinho. O João tentou te agarrar.

Mariana arregalou seus olhões com uma expressão mista de surpresa e alívio.

— Você já sabia! — esganiçou-se. — Ele te contou?

— Que mané contou, Mariana. O João tenta agarrar todas as minhas alunas. Sempre tentou, faz muitos anos isso, me acostumei. Algumas até já conseguiu.

Após explodir com violência, a risada da professora se prolongou por algum tempo; ameaçava morrer e logo renascia. Mariana acabou rindo também. Quando enfim recuperou o fôlego, Stella explicou que João Pinto e ela tinham uma relação aberta.

— Eu estava com tanto medo de te contar — disse Mariana.

— Que bom que... Foi há mais de uma semana, um dia que eu vim te ver e você não tinha chegado.

— Lembro. O dia que eu fui à manicure. O que ele fez?

Mariana ficou constrangida; adoravelmente constrangida, me pareceu.

— Ah... sei lá. Veio pegando, me chamando disso e daquilo. Se não fosse seu namorado, Stella, olha... Eu aprendi uns golpes de jiu-jítsu que ia adorar botar em prática. Se bem que um homem daquele tamanho, nossa!

Riram mais um pouco.

— Quando você disse "se não fosse seu namorado, Stella" — disse Stella —, achei que ia completar falando que pegava.

— Não, não — a moça sorriu torto, com um traço de escárnio. — Eu nem gosto de homem.

Senti um abismo se abrir no piso de parquê sob meus pés. A neblina se fez mais densa do que nunca. Stella nem piscou.

— Saí foi correndo — emendou Mariana, indiferente ao meu sofrimento. — Não dava pra esperar o elevador, zuni escada abaixo.

A dona da casa se ergueu do sofá, deu dois passos até a cômoda de madeira escura sobre a qual ficava a TV de tela plana e abriu uma das portas do móvel. Quando se voltou para nós, tinha uma garrafa numa das mãos e dois copinhos na outra.

— Já que vamos trocar confidências... — disse.

XXXVII. Amantes

Após três doses de cachaça para cada uma, julguei compreender o que João Pinto tinha em comum com Jota, o ponto em que a ferida anímica supurada de um grudava na do outro. Por outro lado, deixei de compreender uma série de cousas que até então julgava ter sob controle. E o tempo todo, o que eu ouvia era o silêncio interior de Mariana.

Isso me desconcertava. O que significava aquela brusca lacuna em minha aptidão para a onisciência autoral? Era como se eu não me achasse no direito de imaginar a visão de mundo daquela moça, suas aspirações, modos de sentir ou mesmo de pensar um pensamento simples como "hoje vai chover" — enfim, de encadear aquele monólogo íntimo que, pelo menos desde o fim da Idade Média, fazia da literatura, literatura.

Quanto à leitora de Auerbach, essa eu decodificava sem maior dificuldade à medida que ela vivia cada momento: o sangue que corria com mais alegria em suas veias, o exibicionismo discreto, a alegria de estar vestindo naquele momento por puro acaso a exígua camisola preta que era, de longe, sua preferida.

Mas tudo o que eu lia em Stella, comboio de palavras, conceitos, ritmos, sensações, desejos, tudo isso me parecia uma temeridade — mais do que temeridade, uma grosseria — conceber para Mariana. Impotente, restava-me observá-la com atenção enamorada enquanto ela sorria e trocava olhares cada vez mais compridos com a professora, as duas claramente à vontade na companhia uma da outra, o álcool amolecendo verbo e gestos.

Stella contou que desde o início, quando passaram a morar juntos, João Pinto e ela celebraram um pacto claro de não exclusividade. Naqueles trinta anos, perdera a conta dos homens e mulheres que haviam passado por suas vidas, o que por muito tempo ocorreu sem atropelos, mas... De repente sua fisionomia ensombreceu.

— Um dia eu fiquei grávida.

Mariana, que parecia absorta de verdade na história da professora, perguntou no mesmo instante:

— Vocês não queriam um filho?

— Estávamos além dessa fase — a outra suspirou. — Tinha havido tentativas, mas nunca rolava, e o João acabou descobrindo que era estéril. Enfim, não foi um grande drama na época. Mas um dia eu fiquei grávida, e o João surtou.

Seguiu-se um longo silêncio.

— O que aconteceu? — Mariana se impacientou.

— Nada. Perdi a criança. Não quero falar disso.

— Tudo bem.

Stella procurou os olhos da menina de trancinhas coloridas e disse, a voz mais rouca:

— Posso te fazer companhia nessa poltrona?

XXXVIII. Mar

De repente éramos três espremidos na poltrona de estampa de lírios, uns sobre os outros, e do primeiro beijo de Stella e Mariana eu posso ter participado também, entre desavisado e sonso; de todo modo, era tudo confuso demais para que eu possa afirmar qualquer cousa ao certo. Não segui com elas para a cama, isso posso garantir; talvez por ainda me restar algum pudor, como eu gostaria de crer, ou quem sabe por pura incapacidade de me mover dali. Lembrei-me do Dramaturgo dizendo que o tempo também é lugar, é mais lugar do que o lugar. Quando ainda estava na poltrona, acariciando as coxas lácteas da professora em seu colo, Mariana tinha dito que daquele momento em diante queria ser chamada de Mar.

— Mar?

— Mar.

— É lindo.

— É não binário.

Não binário! Foi o que disse o Mar, a Mar, me tragando como uma ressaca para dentro de seu silêncio. O enigma humano da linguagem me esmagava.

XXXIX. Sobre a cornitude

Não, não fazia o menor sentido eu me sentir traído por Mar.

No entanto, a palavra que ela ou ele usou repetidas vezes na conversa que tinha com Stella na cama, ambas lânguidas e exaustas, parecia querer me convencer de que fazia sentido, sim. Cornitude. Tratava-se de um daqueles vocábulos que, como alguns afirmam, "não existem", por mais que sua existência lhes seja esfregada no nariz. O que geralmente se quer dizer nesses casos é que os dicionários não os reconhecem; não ainda. Corno, sua matriz, é uma palavra que cheguei a pegar em meu tempo, embora, tendo pegado, não a usasse; não fazia meu estilo incorporar um termo de baixa extração.

Quer dizer então que me vulgarizei, se hoje aprecio tanto a cornitude que chego a fazer dela nome de capítulo?

Quem prestar um pouco mais de atenção concluirá, creio, que não se trata propriamente de rebaixamento da moral vocabular; antes de reajuste, como o que é necessário fazer entre a lente dos óculos e o estado da vista à medida que a idade nos vai comendo os olhos. Se dez anos podem ter efeitos devastadores sobre a visão, o que esperar de um século e meio sobre nosso jeito de escrever? Existentíssima em tinta e tipografia diante de todos a cornitude passou a ser de meio século para cá — é só o que pude descobrir. A negligência dos filólogos com termo tão suculento me era difícil de entender. Suculento e profícuo, pois bastou ouvi-lo na voz sonora de Mar e ver seu biquinho ao articular a terceira sílaba — corni-*tu*de — para que um relâmpago de compreensão chispasse em meu cérebro escuro.

— O João tentou evoluir como macho, mas o sentimento da cornitude falou mais alto — disse Mar, agitando as trancinhas num frêmito de puro-sangue antes da largada do Grande Prêmio. Stella fez uma cara indecisa.

— Não sei...

— A cornitude é poderosa pros homens, Stella.

Sim, eu concordei, de pé ao lado da cama.

— Os que tentam fingir que a cornitude não está lá, dançam. É um troço muito fundo incutido pela sociedade inteira, na real. Uma visão que é de ninguém e ao mesmo tempo é de todos. De todes.

— Hmm — fez Stella.

Mariana pareceu interpretar aquilo como encorajamento.

— O pacto entre adultos da relação aberta — discursou — manteve a cornitude do João domada, sublimada, sufocada, lá sei eu. Mas a cornitude não ia aceitar a derrota assim tão fácil. Ficou esperando a primeira oportunidade de se vingar, de voltar feito o recalcado, sob outra forma, com potência total.

Mais uma vez me dei conta de como era espantoso que Mar tivesse menos de vinte anos. A cada vez que a palavra saía de sua boca — e já tinham sido cinco —, um novo relâmpago alumiava mais um trecho da paisagem de abismos que eu contemplava para além das paredes rosadas da sala de estar na Glória.

Sobre o relevo imaginário de rochas e penhascos, sombras e clarões projetavam um rosto fortuito, o rosto de Jota; que logo se transformava no de João Pinto, depois no de Jota outra vez; e assim sucessivamente.

XL. A trama do poder

Logo os dois rostos, o de João Pinto e o de Jota, deixariam de ser imaginários para se materializar na minha frente. O namorado da professora mandou mensagem no tablete dela para avisar que estava a caminho da Glória. A notícia provocou um princípio de constrangimento que Stella e Mar logo superaram, entre risotas e promessas de se reencontrar em breve. Quando João Pinto e seu ilustre cachecol chegaram, já não se percebia no apartamento sinal de que Mar o inundara com tanta plenitude havia pouco.

Mais tarde, João Pinto roncando na cama ao lado da professora insone, Jota disse:

— Você estava certo sobre a importância de desvendar a trama de poder por trás do plano, Jota.

Surpreso com a eloquência do amigo, julguei compreender então, com clareza ofuscante, o que de alguma forma sempre soube, ainda que evitasse convocá-lo ao primeiro plano da mente: Jota ia pela eternidade sangrando em silêncio daquela ferida — o papel de galhudo que se via condenado a desempenhar até o fim dos tempos.

— Tenho novidades — ele foi em frente. — Agora sei de todos os detalhes, você ficaria orgulhoso. Os serviços à margem da lei que o ogro presta para o chefe miliciano; a subida ao poder federal do grupo que o Beto Ferrão apoia, um autêntico sindicato de rufiões, ladrões, assassinos, milicos, torturadores... Ah, você estava certíssimo, meu amigo! Se não levar em conta as teias de poder, a gente não entende nada de nada do mundo. Assenti com a cabeça, aturdido. Era como se tivéssemos trocado de lugar: enrodilhado no pescoço do gigante adormecido, como Luar se enroscara mais cedo em meu colo, Jota soava enérgico e decidido como nunca, enquanto eu esmaecia.

— Nada mesmo — ele frisou. — Nada de nada!

XLI. A verdade

Eu não entendia direito o que meu amigo estava dizendo. Era como se o presente fosse remoto e o passado, atualíssimo. Observava que o fato de termos sido reduzidos à condição de espírito, alijados por definição das paixões da carne que atazanam os vivos, não proporcionara alívio algum a Jota. Tinha sido insuficiente aquele corte ontológico para aplacar a humilhação que a fofoca — para usar mais uma palavra que aprendi com os pósteros, esta risonha e patusca — lhe cravava no íntimo feito espinho de laranjeira. Como eu sabia disso? Admito que eu menos sabia do que intuía. Jota não falava do assunto jamais, o que era um problema — e um direito — dele; mas o silêncio de meu amigo me deixava em posição incômoda.

Teria gostado de lhe assegurar que nunca, jamais tocara um dedo em sua esposa, minha comadre, cujo nome nem me ocorria agora; ao menos não, quero dizer, com um toque que não fosse da maior pureza fraternal. Até essa frase sonora e balofa eu estaria pronto a penhorar a Jota, com a firmeza serena que se espera dos amigos verdadeiros em hora tão difícil. Contudo, tendo inúmeras vezes ensaiado pronunciar tais palavras, nunca o fiz. Meu receio era que a frase tivesse efeito oposto ao planejado. Por que estaria me justificando, afinal? Não era suspeito aquilo? A cornitude, disse Mar.

Maligno, o boato estendia sua sombra até mesmo sobre a estima que me devotava Mazinho, filho de Jota, mancebo bom e leal para quem tive o orgulho de ser na vida como um segundo pai. "Segundo, sei!" No jogo malicioso do numeral ordinal, a posteridade confundiu tudo, conspurcou tudo, tarefa que se viu facilitada pela ignorância que está na base de metade dos problemas humanos — devendo-se a outra metade, como descobriu Prometeu, à sabedoria.

Vê-se logo, leitor(a)(e) perspicaz, que eu não tinha saída. Era evidentemente culpado de trair meu amigo, deitar-me em segredo com sua mulher, adúltera fria que o afrontara com a maior das desonras conhecidas — apresentar como seu, para que o criasse, o filho de outro. Após alguns séculos de uma dieta romanesca consistente, como esperar que os seres humanos resistissem a uma história tão iluminadora dos desvãos trevosos da alma? De que forma poderiam dar as costas a uma fábula capaz de extrair da pura lógica narrativa, inteiramente à prova de sensatez, sua validação como a mais verdadeira das mentiras? E como garantir ao amigo a falsidade do boato de sua formidável cornitude se a crendice atravessara uma longa fieira de décadas, emprenhando ouvidos em recitais, tertúlias, rodas de samba, noites de autógrafo e mesas de bar, entre olhos arregalados e risadinhas marotas?

E agora, depois de encorpar no escuro, o rio subterrâneo da maledicência vinha jorrar à flor de um século em que se dissolviam as últimas fronteiras entre verdade e mentira.

XLII. O sentido

— Mas tem uma coisa que é bem estranha — prosseguia Jota.
— O projeto da virago, o tal Luta de Clássicos, está preocupado com a malta ignara, não está? Quando propõe que nossas frases sejam simplificadas e nosso vocabulário, reduzido, a ideia é que os bárbaros tenham voz ativa nos rumos da pólis. Numa palavra, é bem aquilo que o pessoal chama de progressista, estou certo?

— S-sim — balbuciei.

— Ora, a turma do Beto Ferrão é inimiga de morte do progressismo, Jota! Alguma coisa não faz sentido aqui.

— Sentido?... — ecoei, aéreo, como que indeciso entre a saudade e a ironia diante de uma ilusão perdida para sempre.

— Sentido, sim. Escuta — prosseguiu Jota. — Finalmente começo a compreender o que está acontecendo comigo. Lembro-me do que aprendi com um nobre selvagem que eu mesmo inventei: os velhos da tribo ouviram de seus pais que a alma do homem, quando sai do corpo, se esconde numa flor, e fica ali até que a ave do céu venha buscá-la e levá-la bem longe. Tudo passa sobre a terra.

Creio que, com aquelas palavras, Jota quisesse se despedir, mas não lhe dei atenção. Já não estava inteiro ali: naquele momento, a maior parte de mim subia a Rocinha a pé ao lado de Mar. Enfiando-nos por vielas mal iluminadas no coração da maior favela da Zona Sul do Rio, entre vultos que me pareciam lúgubres, eu temia por sua segurança; em seu semblante, porém, não se via apreensão alguma.

XLIII. Ei, Biscoito!

Mar abriu os olhos grandes sob as trancinhas em sua cama. Era uma das duas camas estreitas que, cada qual colada a uma parede, ocupavam quase todo o espaço do quartinho que ela dividia com Helena, sua irmã mais nova. Sem fazer barulho, pois a caçula acordava tarde, Mar se pôs de pé com agilidade juvenil, pernas musculosas brotando elásticas de dentro do lençol. Deu três passos descalços pelo chão de cerâmica vermelha até o banheiro, onde não entrei.

Minutos depois — um intervalo que me pareceu longo, embora objetivamente não o fosse —, saiu pela porta do cubículo azulejado com hálito de hortelã. Na cozinha se serviu de um copo d'água na talha alta de barro ao lado da pia, sobre a bancada de plástico que imitava mármore rosado.

Depois de virar um copo d'água de uma vez — era um copo daqueles gratuitos, observei, ou antes incluídos no preço da geleia que um dia haviam abrigado —, Mar se serviu de outro, que se pôs a bebericar distraída. Então abriu a porta dos fundos para deixar entrar o vira-lata que esperava por isso ansioso, mal sufocando ganidos de impaciência desde que ouvira ruídos na cozinha. Era um bicho magro, de pelo caramelo.

— Ei, Biscoito! Ei, lindão!

O arquejo excitado de Biscoito ao ver seu amor, enquanto pulava em suas pernas e lambia qualquer pedaço de seu corpo que conseguisse alcançar, sobressaía em alto volume contra o silêncio interior de Mar, como que para frisar o que para mim já estava claro — que diante daquela criatura todas as palavras, mesmo as tateantes, seriam excessivas.

"Estás enferrujado, meu velho", pensei. Logo retoquei a ideia. Claro que, após tanto tempo afastado da lida, não me faltava oxidação às juntas da sintaxe; é provável mesmo que a ferrugem fosse abundante. Ocorre que me deixar intimidar daquela forma por uma menina do povo — está bem, uma criatura não binária do povo — de nem vinte anos, depois de tantas refregas com damas oblíquas do Segundo Reinado, senhoras de ardis e camadas de verdade e mentira nas palavras, na alma e na cara, não, aquilo não era algo que se pudesse atribuir apenas ao desuso da pena.

De modo algum; restava inexplicável sem invocarmos os enigmas dos tempos históricos alienígenas e sem, ouso dizer, a ajuda suplementar de alguma misteriosa razão do coração. Que razão seria essa?

Naquela soleira eu me detinha. Eu era o passado; Mar, o futuro. O presente em que, num relance, nosso encontro ganhava os contornos de uma possibilidade era fugidio como o grão de areia no instante mesmo em que atravessa o orifício da ampulheta.

XLIV. Vantuil

Restavam-me os verbos de ação; se estes sabem ser insuficientes para um romancista psicológico, felizmente não são poucos. Feitas as festas matinais para Biscoito, que ganhou alguns homônimos para comer, Mar encheu uma pequena panela com a água do filtro; riscou um fósforo para acender uma das bocas do fogão; depositou ali a panela; riscou então um segundo fósforo para acender o forno; tirou da geladeira um pacote de pão de fôrma, que pôs sobre a pequena mesa de fórmica ao lado da geladeira para torcer o arame que fechava o saco plástico, abrindo-o; após pegar duas fatias de pão, fechou o saco plástico; abriu a porta do forno e acomodou diretamente as fatias sobre a grelha; fechou a porta do forno; abriu então o armário de duas portas sobre a pia e tirou de lá um grande vidro com pó de café pela metade e um coador reutilizável feito de um material sintético entre o papel e o pano; neste, com a ajuda de uma colher recolhida na gaveta mais alta ao lado do fogão, despejou certa quantidade de pó; fechou a tampa de rosca do vidro de café e o devolveu ao armário; conferiu então se a água já tinha começado a borbulhar; ainda era cedo.

Um homem mais velho emergiu do interior da casa.

— Bom dia, pai.

— Oi, Mariana — o sujeito, chamado Vantuil, mais soprou do que falou, tão rouco estava. Entendi que em casa, ou pelo menos diante do pai, Mariana não era Mar; não ainda.

Quando voltou do banheiro, minutos depois, Vantuil tinha recuperado parte do belo barítono pelo qual fora razoavelmente famoso em sua juventude nos círculos jornalísticos cariocas.

— A gente precisa conversar, querida.

— Opa — Mar sorriu. — Tão cedo e tão sério, pai?

— Sobre a sua irmã — disse o homem. — Antes que ela acorde.

O café da manhã já estava servido. Na mesinha havia duas xícaras grandes transparentes, cor de geleia de mocotó, uma garrafa térmica cheia de café, as duas fatias de pão de fôrma agora douradas, cada uma num pratinho de louça branca, e um terço de tablete de manteiga ainda em sua embalagem de papel laminado.

Se me estavam vetados os pensamentos de Mar, o burburinho interior do homem não era difícil de discernir. Fotojornalista freelancer, o pai de Mariana e Helena era um homem que tinha medo. Já fora um sujeito atlético, atirado, alegre, talentoso, sedutor, mas isso fazia tempo. Agora, aos quarenta e oito anos, era basicamente um homem que tinha medo.

De que Vantuil tinha medo? De tudo. Em primeiro lugar, de não ter dinheiro para sustentar a si e às filhas; depois, de ser triturado, ou pior, de ver as duas pessoas que mais amava no mundo serem trituradas pelos dentes da cidade. Em suma, morria de medo de que lhe viesse a faltar alguma cousa imprescindível — força, saúde, trabalho, coragem, sanidade, sorte, pelo menos uma das quais, acreditava, viria a lhe faltar mais cedo ou mais tarde, restando apenas saber qual e quando.

Vantuil era um caso raro de pai solteiro num mundo transbordante de mães solteiras. De cada dez casas da Rocinha, onde ele tinha nascido e morado a vida inteira, sete eram chefiadas por mulheres cheias de filhos que criavam sozinhas, os pais tendo há muito morrido ou dado no pé; as outras três eram chefiadas por mulheres cheias de filhos que criavam, se não sozinhas, com ajuda pequena — e muitas vezes atrapalhação grande — de maridos bêbados, desempregados, infiéis, violentos, malucos, erráticos, cafajestes. Essas estatísticas não eram rigorosas, antes os números impressionistas com os quais o ex-fotógrafo do jornal *O Dia*, ganhador de um Prêmio Esso em 2006, tentava dar conta do mundo que habitava.

A casa que Vantuil dividia com as filhas não entrava sequer naquela conta de padrões de domicílio da Rocinha; era um tipo de arranjo familiar estatisticamente desprezível, um acidente no tabuleiro das probabilidades.

Três dias depois de Vantuil ganhar o Prêmio Esso, a sorte faltou à família. Sandra chegou ao fim de seus dias na porta de casa uma manhã, quando voltava com Helena no colo do posto de saúde aonde fora levar o bebê febril, Mariana a seu lado. Sua morte com a cabeça estourada pelo tiro de fuzil disparado pela PM em perseguição a outros alvos — aquilo que chamavam bala perdida — não era incomum. Nem de longe tão incomum quanto Vantuil ter conseguido manter sozinho a coesão da família destroçada e criar como pai solteiro as pequenas Mariana e Helena, que haviam herdado a formosura da mãe.

XLV. Dos diálogos difíceis

O peso da tarefa — que cumprira com bravura elogiável, ano após ano, em diversas ocasiões tirando recursos de onde já não imaginava tê-los — se fazia sentir por fim no corpo e no espírito de Vantuil.

Sentados à mesa da cozinha, pai e filha pareciam tristes, embora ela tentasse disfarçar.

— Ela me prometeu, Mariana — disse o homem. — Prometeu que não ia mais ver ele.

Mar não disse nada, os olhos pousados em suas próprias mãos entrelaçadas sobre o tampo de fórmica vermelha.

— Mas ela tá vendo ele — perguntou Vantuil —, não tá?

— Pai, a gente tem que ter calma. Eu tenho tentado conversar com a Helena.

— Ela me prometeu, Mariana. Ela só tem quinze anos, me deve satisfação.

— Claro, pai. Mas não é fácil.

— Outro dia o filho da puta veio falar comigo, sabia?

Percebi que isso teve sobre Mar o efeito de um pequeno choque elétrico. Ela olhou nos olhos de Vantuil.

— Quando?

— Esta semana. Anteontem. Eu tava voltando do trabalho, parei no bar do Tim.

— Você não me disse nada.

— Parei só pra comprar cigarro, não deu nem um minuto. É como se ele estivesse me esperando.

— O que aconteceu, pai?

— Ele entrou no bar atrás de mim, chegou bem do meu lado no balcão, o fuzil pendurado no ombro, e falou assim: "A Helena era sua, mas agora ela é minha, tá ligado?".

— Ai, pai!

— Com essas palavras. Assim, calmo, voz baixa, olhando no meu olho.

— E o que você falou?

Vantuil suspirou. Erguendo o queixo, mirou o teto.

— Eu falei que a Helena era dela mesma, só dela mesma. Aí ele riu, deu meia-volta e foi embora.

— Boa resposta — disse Mar sem convicção.

— Resposta covarde — rosnou o homem, balançando a cabeça numa negativa enfática.

— Não, pai. O que você ia...

— É foda, filha. É foda.

Vantuil plantou os dois cotovelos na mesa e enfiou o rosto entre as mãos. Mar levou carinhosamente os dedos aos seus cabelos, que começavam a ficar grisalhos.

— Era uma situação difícil, pai. Foi a primeira vez que ele falou com você, não foi?

— Eu fiquei com medo, Mariana — disse o homem, erguendo os olhos para encarar a filha. — Medo que ele me matasse ali mesmo, no bar. Tô tremendo até agora.

XLVI. Fortuna crítica

A beleza está nos olhos de quem vê, dizem, mas é certo que isso não torna irrelevante o que é visto. Corrija-se então o dito popular: a beleza fica a meio caminho entre os olhos e o objeto que se vê, mora no ar e é feita de nada. Miragem? Que seja — miragem. Mas como é vistosa! Mar estava deitada de bruços em sua cama, apoiada nos cotovelos. A lanterna de seu tablete luminoso — que ela segurava com a mão esquerda, a direita sustentando o queixo — iluminava as páginas de um livro grosso. Ler junto com ela era o mais perto que eu podia chegar de penetrar em sua consciência. Li, portanto:

> Num outro retrato de 1863, temo-lo também de cabeleira crespa, bigode ralo, bem mulato. Mais tarde um pouco, numa litografia do *Arquivo* contemporâneo e numa fotografia aos 34 anos, não notamos diferenças consideráveis no seu *facies*: fisionomia de mestiço, cabelos crespos, bigode ralo, lábios grossos, prognatismo nítido, olhar duro e triste. Estamos ainda em plena fase de luta.

Compreendi logo que o texto falava de mim, ou daquele que fui um dia. Era uma noite quente, e Mar vestia só uma calcinha branca não muito exígua. Como algumas de suas tranças de cores variadas insistissem em cair sobre o livro, atrapalhando a leitura, a todo momento ela afastava a mão direita do queixo para recolher em feixe as mais rebeldes, tentando prendê-las então atrás das orelhas. O arranjo, contudo, era precário, e as serpentes de minha gentil Medusa logo estavam no caminho das letrinhas outra vez.

Os seus retratos dessa época denunciam ainda as incertezas e os atritos da luta. Mas já no que tirou aos 35 anos (1874), há certa tendência para uma composição mais doce e menos vulgar da fisionomia: talvez influência do pincenê, que aparece na sua iconografia pela primeira vez, e que lhe atenua até certo ponto a grossura do nariz e a dureza do olhar.

Mar tornou a mover a mão direita; agora, em vez de recolher as trancinhas balouçantes, tocou distraidamente o próprio nariz, acariciando-o como quem apalpa uma fruta no mercado para testar sua madurez. Procurei a autoria daquelas palavras deselegantes: eram de um sujeito que, soube então, presidiu a Academia Brasileira de Letras nos anos 1950. Seu nome real era Peregrino, mas na peregrinação pós-morte eu não saberia dizer em que nuvem aquele meu sucessor tinha ido parar; com ou sem apelido, na minha é que não foi.

De 1884 já temos um retrato dele que é completamente outro: barba cerrada, bigode abundante, cabelo de ondulações largas, fisionomia tranquila, olhar sereno, confiante e profundo. É um branco, e os resíduos da cor e da raça, da doença, do seu drama, enfim, estão tão atenuados e escondidos, que se torna quase impossível descobri-los à primeira vista.

Senti que a respiração de Mar ficava mais acelerada. Ela interrompeu a leitura e olhou vivamente para o lado, bem para onde eu estava. Parecia mesmo me ver, e cheguei a levar um susto, mas logo compreendi que ela enxergava apenas a parede, ou quem sabe seus fantasmas interiores, como sempre inacessíveis a mim. Parecia irritada. Com as trancinhas rebeldes? Um pouco, talvez; creio que bem mais com o que lia.

Uma fotografia de 1895 no-lo mostra ainda mais civilizado, mais apurado e harmonioso. É uma flor extrema da civilização. Suprimiu a velha cabeleira ondulada: o cabelo é cortado baixo, e vai começando a encanecer-se; a barba e o bigode, já brancos, não são ralos e crespos como outrora, mas, compactos e lisos, cobrem os lábios e o queixo, escondendo a boca de traços grossos, disfarçando a projeção excessiva do mento. Veste-se com gosto e discrição: colarinho alto, de ponta virada; gravata preta, de laço largo; elegância e sobriedade em tudo. Um civilizado. Um europeu.

No último retrato do casal (1904), vemo-lo contente e sereno ao lado da mulher. É um velhinho tranquilo e feliz. Os cabelos estão completamente brancos. Mas a pele, estirada e lisa, é clara, o nariz afilado, o olhar doce e calmo. O ar quase risonho. As feições discretas, finas, espirituais. Tudo denota serenidade. É a velhice. E é a glória.

Adquirindo aquela expressão serena e mansa dos últimos anos, ele liberta-se de toda submissão étnica, e é um exemplo vivo do domínio integral do espírito sobre a matéria. Conseguindo a libertação pela cultura, ele desliga-se definitivamente não só dos compromissos sociais e étnicos com a sua origem humilde e obscura, mas até dos compromissos físicos: torna-se fino, polido, claro; estira e branqueia a pele; atenua os lábios grossos, os cabelos crespos, o prognatismo. Todas as influências que estavam na raiz da sua vida — a cor, a pobreza, a feiura —, todas elas ele domina, recalca e vence. E para chegar a esse ponto, que longa e silenciosa viagem! Como se deduz do exame dos seus retratos, libertou-se da classe, da raça, até da forma.

A flor humana, neste ser estranho e surpreendente, foi um supremo esforço da civilização, da cultura e do espírito.

De repente, para meu horror, Mar soltou um urro. Fechou o livro com um estalo seco de tiro e o arremessou forte contra a parede do outro lado do quarto.

Quase acertou Helena, que vinha entrando enrolada numa toalha.

XLVII. Helena

— Ai, porra! — gritou a irmã de Mar. — Tá louca? Era uma jovem esguia de beleza incomum, com um par de olhos verdes que iluminavam longe; me lembrei de Ceci.

— Tô, tô louca — respondeu Mar. — Louca de raiva de você. Você me prometeu que não ia mais ver esse cara, Lelê!

— Cuida da sua vida, *weirdo*.

Não entendi direito o que a menina queria dizer com aquilo, mas o sentido geral era claro. Poucas pessoas nessa história se deixavam ler pelo narrador — por mim, como é evidente — com a transparência de Helena. Era uma moça de paixões tão verdes e tolas quanto inegociáveis, à beleza extraordinária correspondendo um apetite pela vida não menos notável.

— Sabia que ele foi falar com o pai, o desgraçado? — disse Mar.

— Sabia, ele me contou.

— Ele quem? O desgraçado ou o pai?

— O Misael. Ele tem nome, *weirdo*.

— *Weirdo* é teu cu!

Em Helena eu pude ler em poucas linhas o que estava por vir, e me arrepiei. Linda por fora e por dentro, a irmã de Mar projetava uma sombra que tragava toda a luz do mundo.

XLVIII. A festa

Estávamos à beira de uma piscina azul com formato de ameba e iluminada por baixo, no centro de uma plataforma de madeira encravada no verde do morro. Dali, estendendo a mão para cima, quase se podia tocar a barra do manto do imenso Cristo faiscante que haviam pousado no alto do Corcovado; para o lado oposto, na direção do mar, o olhar se derramava por uma paisagem dominada pela Lagoa, espelho negro onde a lua cheia brincava de Narciso, decidida a humilhar as luzes mais modestas da cidade que também vinham se refletir ali. A vista era tão perfeita que tinha algo de artificial.

Uma pequena multidão estava reunida no casarão do alto Jardim Botânico que Beto Ferrão, o Rei das Vans, mantinha exclusivamente para suas festas. Toalhas de Flandres, grandes jarras da Índia, escadas, castiçais, arandelas, tudo brilhava, areado e polido. De alto-falantes parrudos saía, compondo estranhas harmonias com o vozerio, um ruído frenético de tambores maquinais. Nuvens de água-de-colônia e perfumes caros disputavam a primazia olfativa da noite com as adocicadas flores do

149

abricó-de-macaco que, ocultas na mata, sabiam se fazer conspícuas a seu modo.

A seleta sociedade presente — ninguém de máscara — compunha-se de uma fauna variada e vivaz: deputados federais e militares de alta patente confraternizavam com cafetinas consagradas e talentosos matadores de aluguel; roqueiros decadentes e jornalistas a soldo riam das piadas contadas por juízes venais e apresentadores de TV dispostos a tudo; youtubers e influencers — tivessem essas palavras o significado que tivessem — davam dicas de negócios, dietas e viagens a prostitutas de luxo, ministros de Estado, especialistas em propaganda política e empresários do varejo; contei três senadores, quatro cirurgiões plásticos, cinco pastores evangélicos, oito jogadores de futebol e vinte e nove instrutores de cousa nenhuma que se apresentavam como coaches. Falando e rindo alto, todos ao mesmo tempo, dentes e olhos emitindo chispas ao luar, os convidados de Beto Ferrão incluíam até, como observei a certa altura com surpresa, a duquesa de Cadaval metida num vestido de fenda que nunca a vira usar; não lhe ficava mal.

Entretidos uns com os outros, os convivas serviam-se — distraidamente, como convém — de comidinhas, empadas, camarões fritos, ovos de codorna com molho rosê, taças de vinho tinto e champanhe, tulipas de chope, copos altos de caipirinha e gim--tônica, carreiras de cocaína, baseados delgados, comprimidos indefinidos — tudo passando por eles sem parar, num fluxo coordenado com perfeição, em bandejas de prata. Estas, as bandejas, esvoaçavam entre os presentes como tapetes mágicos, cruzando o terraço nas mais variadas direções. Não é que flutuassem, embora às vezes parecesse que sim; levavam-nas com graça e habilidade lindas adolescentes nuas de palmas para cima, feito egípcias.

Como era inevitável que ocorresse naquele ambiente descontraído, alguns convidados apalpavam e beliscavam essas ninfas nas partes mais salientes de sua anatomia, entre risadinhas gerais.

O clima era extraordinariamente ameno, a noite fresca nas franjas do Corcovado. Após um dia de sol de abril, quando a luz do Rio é mais bonita, o céu azulado realçava o negrume da Lagoa. Embora o luar emprestasse à noite uma claridade com toques sobrenaturais, a amplitude da visão propiciada pelo terraço de Beto Ferrão me permitia divisar volta e meia, ali e acolá, um traço luminoso vertical riscando o céu. Distraído do burburinho da festa pelo fenômeno óptico, passei a prestar atenção apenas nessas luzes.

Ora de uma cor, ora de outra, começando no chão e subindo veloz até desaparecer, dois segundos depois, entre as nuvens, cada um dos fios de fogo era, eu sabia, uma alma ejetada do corpo, como um piloto de caça cuspido de sua aeronave em chamas num dos filmes de guerra que um dia tivera a oportunidade de ver — parecia que em outra vida — na nuvem dos mortos. Não era a primeira vez que eu me deparava com aquelas luzes, mas tive a impressão de que elas haviam se tornado mais frequentes desde a última ocasião. Contei nove almas em duas horas.

Era a peste, eu sabia. E embora fosse imune, eu parecia mais preocupado com ela do que todos os presentes.

Quando, cansado de contemplar o céu, trouxe minha atenção de volta à festa, atinando que ainda não vira nenhum Napoleão Bonaparte, dei com João Pinto. O ogro tinha uns resquícios molengos de Jota visíveis em seus ombros de pugilista; desgraçadamente, parecia já não restar muito do meu amigo.

Como o gigante estivesse acoplado ao ouvido direito de Beto Ferrão, procurei captar o que ele sussurrava. O anfitrião, um homem magro e bronzeado de sessenta e poucos anos, peruca de topete, mantinha os olhos baixos e não parecia feliz.

— O Misael tá conversando com aquele deputado, sim. Cantando bonito. A coisa não faz muito sentido. Quando entra no meio esse negócio de política, vira tudo uma cagada do caralho.

Beto Ferrão se limitou a olhar em silêncio para ele.

— Enfim... — desconcertou-se o ogro. — É o que é.

— Então tem que deixar de ser — disse o outro. Seu tom era o de quem está habituado a dizer como devem ser as coisas — e ser obedecido.

— Claro, Beto. Fica tranquilo.

Mais uma encarada silenciosa. João Pinto achou boa ideia acrescentar:

— Cuido pessoalmente do negócio.

— Certo, mas olha — disse o chefe. — Eu tô precisando de um outro serviço seu, tipo agora.

— Opa — disse o gigante.

— Desova.

João Pinto abanou a cabeçorra, grave. Só espichando o olhar e o queixo, Beto Ferrão o mandou seguir um jovem magro de terno preto e fone de ouvido que entendi ser segurança da festa. O ogro saiu com o rapaz rumo ao interior da casa e eu deslizei atrás deles.

No corredor passamos por diversas suítes de porta entreaberta, dentro das quais vislumbrei redemoinhos de corpos, Sodomas compactas de onde escapavam gritos, gemidos, uivos, choros, gargalhadas. Seria uma regra da casa de Beto Ferrão que as portas nunca se fechassem? Uma única fugia ao padrão, no fim do corredor, e nela o jovem segurança bateu com força.

— Sou eu!

A porta se abriu para dar passagem ao rapaz, seguido por João Pinto e por mim. No centro da cama redonda da suíte, imóvel, cercada por três ou quatro homens de terno preto, estava uma das adolescentes nuas que esvoaçavam pelo terraço. Mas aquela não esvoaçaria nunca mais.

— O que aconteceu? — perguntou João Pinto. Senti pelo olfato que os engravatados se pelavam de medo dele.

— Oficialmente? — disse um segurança careca, que parecia o mais graduado do grupo. — Overdose.

— Caraca! — o jovem que trouxera João Pinto não se conteve, ignorando o olhar reprovador do careca. — O chefe come bem demais, maluco!

A moça era mesmo uma das mais lindas da festa; tinha os olhos arregalados, uma espuma violácea saindo dos cantos da boca. Pelos faróis verde-claros, que vidrados pareciam maiores, observei que me era familiar a ninfa petrificada. Sem susto, como se o soubesse desde sempre, reconheci a irmã de Mar.

Só eu vi Helena se levantar da cama, me olhar com tristeza e caminhar até a janela. Logo havia mais um risco no céu.

XLIX. Funk

A música da festa ia ficando para trás à medida que eu descia as ladeiras de paralelepípedo.

Ô novinha, eu quero te ver contente...

Aquele era um gênero musical chamado funk, eu tinha aprendido. Soube também que a palavra vinha da língua inglesa e era antiga, anterior a Keats, embora na época tivesse outro sentido.

O Goddess! hear these tuneless numbers...
Não abandona o piru da gente!

Sentia-me grogue — o que traz para estas linhas, claro, mais um anglicismo. Eu era o barco bêbado do gênio caipira de Charleville-Mézières, e assim, de uma frase à seguinte, levo o pêndulo da prosa ao outro lado do canal da Mancha. Sim, eu jogava como em mar encapelado, descendo as ruelas serpentinas forradas de pedra que levam do alto Jardim Botânico às margens da Lagoa e à suave colina do Humaitá, prenúncio de Botafogo. Guiava-me pelos passos de um cachorro caramelo, magro e ressabiado, que quando comecei a seguir acreditava ser Biscoito. Agora já não tinha certeza; podia ser só um sósia do vira-lata de estimação de Mar e Helena, que a caçula chamava "meu doguinho".

> *O latest born and loveliest vision far*
> *Of all Olympus' faded hierarchy!*
> *Pra sentar, pra sentar, pra sentar no pau!*

O cri-cri dos grilos soava mais alto à medida que a taquicardia do funk ia ficando na distância. Não, era evidente que eu não seguia Biscoito; o que Biscoito estaria fazendo ali, se morava longe? Teria vindo em busca de Helena, guiado pelo faro sobrenatural de sua espécie para o perigo, a fim de proteger a dona? Tendo chegado tarde, retornava agora desolado, devastado pela culpa? E por que não se plantara junto ao corpo da menina de olhos de farol? Mais provável que fosse só um cão vadio, mas a cada vinte passos se detinha, torcia o pescoço como para se coçar com movimentos vigorosos da pata traseira. Eu sabia que sua real intenção era espiar atrás de si, assegurar-se de que eu ainda estava em seu encalço; só me restava segui-lo.

Tentei recordar o nome da cachorrinha que tivemos, Carola e eu. Criatura adorável, fonte de tanta alegria em nossa vida de casal recluso. Um dia fugiu, perdeu-se nas ruas da cidade, e estivemos perto de enlouquecer. Publicamos anúncios no jornal oferecendo uma soma vultosa a quem nos restituísse a amada filha. Para nossa felicidade, a cachorra reapareceu intacta; não sei o que teria acontecido conosco, comigo, se ela não voltasse mais. E no entanto eu era incapaz agora de recuperar seu nome na memória. Parecia extraviado por inteiro, o nome do ser amado, como um casaco caro que a gente já não pode resgatar na chapelaria do Theatro São Pedro, por haver perdido o bilhete. Eu era um monstro, afinal, pois algo me faltava? Ou faltava eu mesmo, e essa lacuna era tudo? À minha procura, consultei o espelho retrovisor de um automóvel de luxo estacionado na rua. Olhei e recuei; o vidro não me estampou a figura nítida, mas vaga, esfumada, sombra de sombra. A imagem era uma difusão de linhas, a mesma decomposição de contornos que acometia a rua, as casas avarandadas de muros altos com seus bosques e jardins, os próprios bosques e jardins, o céu, o ar. Tudo fugia, inclusive os humanos que ainda respiravam e morriam dentro daquelas casas, cumprindo suas sinas variadas de fim rápido ou veloz, fim com dor ou com apatia, com revolta ou perplexidade.

A realidade das leis físicas — ou a ilusão de fisicalidade que um dia, parecia fazer tanto tempo, eu inventara para consolar o infeliz Jota — me escapava. Ficai aí, rusgas extintas, velhas charadas, regras de voltarete, e vós também, células de ideias novas, debuxos de concepções, vida que podia ter sido, amores que não se amaram, promessa de país lúcido que jamais teria como se cumprir. A lua cheia era um imenso prato de porcelana da China.

Ficai, abalroai, esperai, desesperai. Cambaleias, pessoa que me lê, tenha o gênero que tiver? Aprendi com Mar que são tantos os gêneros possíveis quanto os raios de uma estrela, e ali estava para aprender, mas... como conceber tal cousa? Te sentes grogue? Não: era eu mesmo que caía, tombava; ia-me pondo enquanto, diante de mim, o sol nascia.

Desesperai. Doía agudamente. Mais um pouco e meus olhos tocados de febre se esfregavam contra a craca da calçada. Como da boca de Helena, uma nuvem de espuma violácea pôs-se a fluir de mim, caudalosamente. O cachorro caramelo que não era Biscoito veio lambê-la, e tudo ficou preto.

L. Reescrever-me

Contando Mar, eram sete jovens ao redor de uma mesa larga, numa das salas da Escola de Comunicação da UFRJ. Dois deles, um rapaz barbudo e uma moça estrábica, tinham diante de si exemplares de um de meus livros. Fim de tarde, soavam harpas distantes, e réstias de um sol avermelhado entravam pelas janelas entrefechadas. Naquele mesmo aposento, o herdeiro esquizofrênico de um barão do café havia se matado por enforcamento em 1873, mas essa era uma informação que, dos presentes, só eu detinha. Tentei decidir se devia compartilhá-la com os outros, mas não consegui chegar a uma conclusão. Após um breve silêncio o rapaz barbudo, que parecia ser o líder do grupo, pigarreou e disse:

— "Não tive filhos, não transmiti a nenhuma criatura o legado da nossa miséria." Sugestões, pessoal?

— Hm.

— Hmm.

— Bom, de saída eu vejo um problema: o que é legado?

— Herança. Legado é sinônimo de herança.

— Então por que não ser inclusivo e escrever logo herança, *cazzo*? Legado é tão elitista.

— Acho que funciona: "... a herança da nossa miséria".

— Apoiado, mas essa miséria também é de um negativismo que vou te contar... E logo na última frase do livro!

— Hm.

— Hmm.

— Uma péssima última impressão, eu acho.

— Entendi seu ponto. Talvez "a herança de nossas modestas aquisições" fique maneiro. Porque combina com o personagem, que é um cara assim meio fracassado, mas não puxa tanto pra baixo.

— E no fundo diz a mesma coisa.

— Beleza.

— Como é que é?!

Em decibéis elevados, quase um grito, esta última fala era de Mar. Eu já estava habituado àquela mistura de timbre melodioso com autoridade moral:

— Vocês não podem estar falando sério!

— Como assim? É claro que estamos falando sério.

— Isso, Mar. Não gostou, apresenta a sua ideia e a gente discute.

— Pois é. Tem o que dizer? Não tem? Beleza. O que mais, gente?

— Olha, eu ainda não tinha falado nada, mas pra mim esse negócio de não ter filhos e anunciar isso cheio de orgulho é que é mó deprê. Muito leitor ou leitora que seja pai ou mãe vai se sentir agredido ou agredida.

— É. Ou agredide.

— Que tal isso? "Não tive, infelizmente, a oportunidade de ter filhos...".

— Epa, mas aí seria uma agressão aos leitores e leitoras que optaram por não ter filhos!

— Tá, a gente tira o "infelizmente".

— Hmm.

— Hmmm.

Mar deu um soco na mesa, fazendo o ambiente inteiro sacolejar. Levantou-se ruidosamente da cadeira e saiu da sala com passos duros. Pensei em ir atrás dela, mas decidi ficar e acompanhar o restante da discussão; sentia-me num estado mental peculiar, como se tivesse febre.

A saída da pessoa que eu amava provocou um princípio de confusão entre seus colegas, que por alguns segundos se entreolharam sem saber como agir. A perturbação passou logo.

— Vamos lá. Como tá ficando esse troço?

— "Não tive a oportunidade de ter filhos, não transmiti a nenhuma criatura a herança de nossas modestas aquisições."

— "Mas estou pensando em adotar um."

— O quê?

— Uma sugestão. Assim o livro termina pra cima, aponta o futuro. E ainda rola uma consciência social.

— "Mas estou pensando em adotar um." Cara, você é bom! Todo mundo concorda?

— Acho legal, mas olha, sem querer ser estraga-prazeres: o sujeito não tá morto?

— O autor? Claro, achei que essa parte já estivesse clara pra todos nós. O autor morreu, por isso estamos aqui.

— Não, quero dizer o narrador. O narrador morreu, como vai adotar uma criança?

— Caramba, é mesmo. Que saco.

— Hmm.

— Hmmmm.

Nesse momento Mar voltou. Estava nua e trazia sobre o ombro direito um pano de prato bordado, numa mão uma tesoura enorme e na outra um galão de querosene, líquido que se pôs a aspergir pela sala como água benta, e em seguida a derramar com fartura sobre os móveis e o chão, sem que os outros apresentassem nenhuma objeção a tal comportamento. Só então desconfiei que aquilo não estivesse acontecendo.

— Quer saber? Esse fecho não tá rolando. Tem coisas que não dá pra consertar. E se a gente simplesmente cortar isso, der um sumiço no filho, na herança e na porra toda?

— Boa!

— Gênio!

— Já é!

Mar saiu da sala. Após trancá-la por fora, riscou um fósforo e o atirou sobre a trilha de querosene que vazava sob a fresta a seus pés. Tudo explodiu. Assustado, abri os olhos e reconheci uma das ruelas que desciam do alto Jardim Botânico. Deitado de bruços na calçada, vi que a casa ao meu lado, uma casa branca e elegante, pegava fogo; as chamas já a lambiam inteira. O calor era atroz, como no coração do Vesúvio.

Um homem veio se aproximando ladeira abaixo. Julguei reconhecê-lo: era eu mesmo que me aproximava ou seria uma réplica minha, um *doppelgänger*?

— Essa casa que pega fogo é sua, cavalheiro?

Não sei se tive voz para responder a mim mesmo que sim, era minha. Mais até do que isso, aquela casa era eu; éramos nós?

— Dá-me então licença para que acenda ali o meu charuto?

Riu, acendeu, saiu fumando.

LI. A suja mistura das sombras e da chuva

Chove há muitos dias, não saberia dizer quantos. A contagem do tempo foi um dos primeiros sentidos que perdi ao me deitar aqui, de onde nunca deveria ter saído. O mausoléu da Academia Brasileira de Letras. O museu. A glória que fica. A pedra fria. Os túmulos todos empilhadinhos, como prédios de apartamentos; isto é, os túmulos daqueles cuja glória ficou, mas não era tão frondosa, e por isso não elevou tanto e talvez até console menos. Minha cama, ao contrário, se expande no espaço e ocupa posição central, dominante. Na maior parte do tempo fico de olhos fechados, a consciência mal acesa, como brasa que vai morrendo aos poucos entre as cinzas mais e mais espessas de livros cheios de pó, projetos malformados, memórias renegadas, fragmentos de sonhos.

Sei como vim parar aqui, ao menos por alto. O cachorro me guiou com vagar e paciência — eu me arrastava, como Ciacco na lama dantesca dos gulosos — pela rua Pinheiro Guimarães abaixo, até o cemitério São João Batista. Magro, o animal esgueirou-se sem dificuldade por entre as grades de ferro do portão fechado. Vim atrás dele, aqui estou, lá fora não para mais de chover; é tudo.

Mas será mesmo tudo? Nessa cidade partida em que me perdi, lodaçal em que já mal se distinguem as formas de milhões de glutões, de toda essa gente que de consumir o mundo se empapuça e derrete na chuva — nessa massa viscosa e fedorenta avulta às vezes, magicamente intocada pela sujeira universal, a silhueta de uma criatura de trancinhas coloridas e alfinete no nariz — um nariz que aponta o futuro.

— Verme! — vociferou uma mulher imensa, olhos rutilantes como o sol. Será que Pandora estava com ciúmes de Mar?

Após estender um braço do tamanho do rio Amazonas para me pinçar do mausoléu da Academia — eleva, eleva! — rumo à estratosfera, furando as nuvens que choviam, ela trovejou:

— Verme, e ainda devasso! Foste incapaz de ler uma mísera palavra no coração da criatura, verme também ela, como tu, e ousas fantasiar uma redenção que não existe nem existirá.

— Talvez não — reuni forças para responder, pernas pedalando o vácuo sobre o abismo. — Ou talvez sim, não temos como saber. Só sei que refuto com veemência a pecha de devasso, pois nunca fui tão puro de sentimentos quanto...

— Sentimentos?! — Pandora me interrompeu, possessa. — Vermes têm sentimentos de verme!

E largando-me daquelas alturas me fez cair ao infinito, aos trancos, soltando pedaços, por tantos séculos quantos milhares de quilômetros; meu grito ecoou das cavernas de Platão ao terraço das torres de Dubai, de tal forma que eu não era nada além do meu grito, enquanto meu grito vinha a ser o universo.

Antes mesmo de me esborrachar no chão, eu já sabia que havia morrido outra vez. Sonhei que tinha um novo nome; era Vantuil.

Passou-se muito tempo.

— Descobriu se eles ainda usam escarradeiras no século XXI? A voz rouca do Dramaturgo soou nítida, ricocheteando nas paredes do mausoléu. Acreditei que a sonhasse também.

— Me ajudem aqui, vamos levantar o homem.

Havia outros vultos com ele. Piscando muito, ainda fraco demais para me mover, reconheci primeiro a Russa e o Alagoano; atrás deles divisei o bravo Lulinha, a doce Ceci.

— O Afonsinho ficou lá fora — explicou Ceci. — Disse que não entraria na casa onde foi barrado. Sabe como ele é.

Ao fundo, parecendo agreste, divisei um sujeito magro de boné que eu não conhecia.

— É o Delegado — explicou o Dramaturgo. — Chegou no céu não faz nem um mês. No começo quase não falava com ninguém, mas é boa gente. Tem muito a nos ensinar sobre esse tempo maluco que você cismou de inventar.

Como eu continuasse sem entender, acrescentou que tinha sido o Lulinha, treinado na empatia dos grandes advogados de defesa, a ouvir meu grito lá da nuvem. Naquele uivo estava codificado, como uma enciclopédia num milímetro digital, tudo o que até aqui se narrou; a situação exigia ação rápida e conjunta. Perplexo com o motim, o Saraiva, após alguma resistência, havia jogado as mãos para o alto, exclamando: "Doudos! Esses brasileiros são todos doudos!".

Quando deixamos o mausoléu já não havia sinal de chuva. Era uma madrugada azul-cobalto, e no céu do Rio de Janeiro, competindo com as estrelas, brilhavam riscos luminosos verticais; uma infinidade deles, de todas as cores, eclodindo ora aqui, ora lá adiante.

— A peste está fora de controle — sussurrou a Russa, com seus erres arranhados.

Ficamos algum tempo a observar o espetáculo, até que o Delegado bateu palmas.

— Vamos lá, cambada de beletristas procrastinadores! —
disse, rindo. — Esses filhos da puta estão nos devendo!

Busquei os olhos da Russa, onde as almas ejetadas se refle-
tiam. Foi ela que me sugeriu terminar o livro assim:

FIM

Rio de Janeiro, março a dezembro de 2021

1ª EDIÇÃO [2022] 4 reimpressões

ESTA OBRA FOI COMPOSTA POR OSMANE GARCIA FILHO EM ELECTRA
E IMPRESSA PELA GRÁFICA BARTIRA EM OFSETE SOBRE PAPEL PÓLEN BOLD
DA SUZANO S.A. PARA A EDITORA SCHWARCZ EM MARÇO DE 2024

A marca FSC® é a garantia de que a madeira utilizada na fabricação do papel deste livro provém de florestas que foram gerenciadas de maneira ambientalmente correta, socialmente justa e economicamente viável, além de outras fontes de origem controlada.